Nos mata- i palunan

Onze planten en bomen

Our plants and trees

Curaçao | Bonaire | Aruba

Nos mata- i palunan
Onze planten en bomen
Our plants and trees

DR. BART A. DE BOER

Curaçao | Bonaire | Aruba

Editá pa / uitgegeven door / published by
Stichting Dierenbescherming Curaçao

Tradukshon/vertaling/translation	
Ingles/Engels/English	: Dr. Bart A. de Boer
Papiamentu/Papiaments/Papiamento	: Chila de Haseth-Bolivar
Portrèt/foto's/photos	: Dr. Bart A. de Boer
Diseño/opmaak/lay-out	: BV de Handelsdrukkerij van 1874
Imprenta/drukkerij/printer	: BV de Handelsdrukkerij van 1874

ISBN 99904-0-182-9

Publikashon di e buki aki a keda realisá, danki na amplio sosten finansiero di Prins Bernhard Fonds Nederlandse Antillen en Aruba i KNAP Fonds Nederlandse Antillen.

Deze uitgave kwam tot stand dankzij aanzienlijke financiële steun van het Prins Bernhard Fonds Nederlandse Antillen en Aruba en het KNAP Fonds Nederlandse Antillen.

This publication has been made possible by a substantial financial contribution from Prins Bernhard Fonds Nederlandse Antillen en Aruba and KNAP Fonds Nederlandse Antillen.

Tambe nos ke gradisí:
Verder gaat onze dank uit naar:
We would also like to thank:

- Gerard van Buurt
- Elis Juliana
- Dirk Jan Boerwinkel

- Chila de Haseth-Bolivar
- Drs. Eithel Martis, Instituto Lingwistiko Antiano (ILA)
- Komishon di biologia di K.S.P. (Komishon di Standardisashon di Papiamentu)
- Sede di Papiamentu

- Barbara Deshotels

- Saskia Smit
- Jo Hanssen
- Barbara Halabi
- Truus de Vries-Meijer

Prologo
Di buki di para pa buki di mata

E buki "Nos paranan/Onze vogels/Our birds", redaktá pa dr. Bart A. de Boer, ku Fundashon pa Protekshon di Bestia Kòrsou a publiká na mart 1994, a haña un akogida tremendo riba nos islanan.

E entusiasmo ku kua a risibí e buki akí a proba sin mas ku nos pueblo tin interes pa nos mundu di para, loke ta habri perspektiva pa loke ta trata preservashon di nos naturalesa.

Na entrega di pedidonan di e buki di para na skol- i librerianan hopi biaha nos tabata haña e pregunta si nos Fundashon no por a publiká un buki di mata, ya ku nan ta sinti masha falta di algu apropiá riba e tereno ei. E paso di mundu di para pa mundu di mata no ta dje ilógiko ei manera ta parse na promé instante. Daño na nos flora, kousá pa aktuashon deskabeyá, manera desafortunadamente ta tumando lugá na gran eskala aktualmente, tin reperkushon riba nos mundu di bestia. Ora sierto sorto di palu, arbusto o mata desaparesé, sierto sorto di bestia tambe ta desaparesé o asta stòp di eksistí komo tal samsam kuné. P'esei Fundashon pa Protekshon di Bestia a disidí, komo un aporte na preservashon di nos naturalesa, di publiká un buki di mata ku por uza tantu pa mucha di skol komo pa adulto.

Fundashon pa Protekshon di Bestia ta apresiá e echo ku dr. Bart A. de Boer tabata dispuesto pa tuma skibimentu di e tomo akí tambe na su enkargo. Meskos ku e buki di para, e buki di mata tambe ta na papiamentu, hulandes i ingles, loke ta hasié aksesibel pa un públiko grandi. E potrètnan den e buki atrobe ta di man di e outor.

Publikashon di e buki di mata a wòrdu finansiá parsialmente ku fondonan optené for di benta di e buki di para. Prins Bernard Fonds Nederlandse Antillen en Aruba i KNAP Fonds Nederlandse Antillen a supsidiá e montante ku tabata falta.

Fundashon pa Protekshon di Bestia no tin un meta komersial ku publikashon di e buki di mata. Skolnan por kumpr'é kasi na preis di kosto. Ganashi riba benta den libreria lo uza pa finansiá nos siguiente publikashon ku lo ta un buki di founa di nos islanan.

Ta nos ardiente deseo pa "Nos mata- i palunan/Onze planten en bomen/ Our plants and trees" haña e mésun tremendo akogida ku nos buki di para.

Olav B. de Haseth	Ineke Cijntje-Groeneweg
presidente	koordinadó di proyekto

Voorwoord
Van vogelboek naar plantenboek

Het boekje "Nos paranan/Onze vogels/Our birds", samengesteld door Dr. Bart A. de Boer en in maart 1994 uitgegeven door de Stichting Dierenbescherming Curaçao, werd enthousiast begroet op de Benedenwindse eilanden. Dit gaf het bewijs dat de bevolking geïnteresseerd is in onze vogelwereld, hetgeen zonder meer positieve perspectieven opent ten opzichte van het behoud van onze natuur.

Bij het afleveren van de vogelboekjes aan scholen en boekhandels, werd vaak de vraag gesteld of de Dierenbescherming niet zo'n zelfde type boekje zou kunnen uitgeven over planten, gezien het feit dat er op dit gebied niets geschikts in de handel was.

Van de dieren- naar de plantenwereld is niet zo'n onlogische stap als men op het eerste moment misschien geneigd is te denken. Ondoordacht schade toebrengen aan de flora, zoals dit momenteel helaas op grote schaal voorkomt, heeft tot gevolg dat met het verdwijnen van bepaalde soorten bomen, struiken en planten, ook bepaalde diersoorten verdwijnen en zelfs met uitsterven bedreigd worden. De Dierenbescherming besloot daarom als bijdrage tot het behoud van onze natuur, een boekje uit te geven over planten dat zowel door de schoolgaande jeugd als door volwassenen gebruikt zou kunnen worden.

Dr. Bart A. de Boer werd bereid gevonden ook dit deeltje samen te stellen. Evenals in het vogelboekje zijn de teksten geschreven in het Papiaments, Nederlands en Engels, waarmee het boekje voor een breed publiek toegankelijk is. De kleurenfoto's zijn van de auteur.

De uitgave van het plantenboekje werd gedeeltelijk gefinancierd door fondsen verkregen uit de verkoop van het vogelboekje. Het ontbrekende bedrag werd gesubsidieerd door het Prins Bernhard Fonds Nederlandse Antillen en Aruba en het KNAP fonds Nederlandse Antillen.

De Dierenbescherming beoogt geen commercieel doel met de uitgave van dit plantenboekje. De scholen kunnen het boekje als lesmateriaal aanschaffen tegen nagenoeg de kostprijs. Gelden verkregen uit de verkoop in de boekhandels zullen weer gebruikt worden voor een volgende uitgave, namelijk een boekje over de fauna van de Benedenwindse eilanden.

Hopelijk zal dit boekje met evenveel enthousiasme worden ontvangen als het vogelboekje.

Olav B. de Haseth
voorzitter

Ineke Cijntje-Groeneweg
projektkoördinator

Foreword
From Birds To Plants

The booklet "Nos paranan / Onze vogels / Our birds", written by Dr. Bart A. de Boer and published by the Animal Protection Society of Curaçao in March 1994, was met with a warm reception on the islands of Curaçao, Bonaire and Aruba.

The enthusiastic response to the booklet proved beyond any doubt that the inhabitants of these islands are very much interested in the world of our birds. This may also be an indication of a growing awareness among our people as to the importance of protecting our environment.

When providing schools and bookstores with this booklet, we were often asked whether it would be possible for the Society to produce a similar publication on plants and trees, as suitable literature on this subject is not currently available.

Moving from the world of birds to the one of plants and trees is not that illogical a step as one might tend to think. Regretfully, continuous, thoughtless damaging of the vegetation is happening on a large scale nowadays. This will result in not only the disappearance of certain trees, shrubs and plants, but consequently also of certain species of animals, which may even be threatened with extinction. With a view to contributing to nature conservation, the Society decided to publish a booklet about plants and trees which would be useful for school children as well as adults.

Dr. Bart A. de Boer was willing to write this publication as well. As with our book about birds, the text is in Papiamentu, Dutch and English in order to reach as many people as possible.

The publication of this booklet was financed in part by the proceeds of the book about birds. The balance was furnished by the Prins Bernhard Fonds Netherlands Antilles and Aruba and by the KNAP fonds Netherlands Antilles. The Animal Protection Society does not pursue commercial gain with the publishing of this booklet. It will be made available to schools as educational material at a little above cost price. The proceeds from bookstore sales will be used for a third booklet about the fauna of our islands.

We sincerely hope that this booklet will be received with as much enthusiasm as was our book about birds.

Olav B. de Haseth
President

Ineke Cijntje-Groeneweg
Project co-ordinator

Prefasio

Den e buki akí nos ta deskribí 63 mata i palu komun i koriente ku tur hende ta mira diariamente sea kant'i kaminda o durante un paseo den kunuku. A skohe pa e enfoke akí, pasobra tur kos ta indiká ku nos pueblo su konosementu di nos flora a bai mashá atras.

Un binti aña pasá asina, tur bon antiano por a splikabo e diferensia entre un Wabi i un Indju. E por a bisabo pa kiko ta uza Welensali o Basora kòrá i tur hende tabata sa ki ora tabata ora di bai kunuku pa piki shimaruku. Awendia nos hóbennan kasi no tin konosementu di nos matanan mas i esaki no ta pinta bon pa futuro di nos naturalesa. Si bo no konosé naturalesa, bo no por apresi'é tampoko. Ta esaki ta pone ku den hopi kaso, sin pensa riba e konsekuensianan, ta sakrifiká nos naturalesa pa desaroyo di proyekto.

Meskos ku tabata e kaso ku "Nos paranan", meta di publikashon di "Nos mata- i palunan" ta pa oumentá konosementu di nos naturalesa. P'esei a skohe pa deskribí e sorto di mata- i palunan mas komun, pasobra asina tur hende por haña nan mira sin tin di hasi muchu esfuerso. Den e deskripshonnan a trata di inkorporá e matanan den e sistema ekológiko di nos islanan, di moda ku di paso e lesadó ta siña tambe ki ròl mata ta hunga den e sistema akí. Di e manera akí mi ta spera di pasa pa nos hóbennan algu di e rèspèt i atmirashon ku mi ta sinti pa nos mundu di mata, ku ta un mundu úniko di bèrdat.

Mi ke gradisí Fundashon pa Protekshon di Bestia pa e konfiansa depositá den mi ku e enkargo pa skirbi e buki akí. Entusiasmo di e direktiva durante skibimentu di e buki tabata un apoyo enorme pa mi. Mi ta spera ku e buki akí lo kontribuí na oumento di apresio pa nos naturalesa, loke na su turno lo kontribuí na sosten di meta di Fundashon pa Protekshon di Bestia.

Verantwoording

In dit boekje zijn 63 planten en bomen bijeengebracht die iedereen dagelijks tegenkomt. Het zijn geen zeldzame soorten of soorten waar je naar moet zoeken, maar soorten die langs de kant van de weg zijn te vinden of tijdens een rustige wandeling door de "kunuku", zoals de wilde natuur van onze eilanden wordt genoemd. Met opzet is voor deze benadering gekozen omdat gebleken is dat de kennis van onze flora bij de bevolking hard achteruit is gegaan.

Twintig jaar geleden kende elke rechtgeaarde Antilliaan het verschil tussen de Wabi en de Indju. Hij of zij kon je vertellen waar de Welensali en de Basora korá voor gebruikt konden worden en iedereen wist wanneer de Shimaruku rijp was. Tegenwoordig weet de jongere generatie nauwelijks meer wat een Wabi is en dit voorspelt weinig goeds voor onze natuur. Wie de natuur niet kent, kan er ook geen waardering voor opbrengen en deze houding is er de oorzaak van dat in veel gevallen onze kostbare flora ten offer valt aan ondoordachte projectontwikkeling.

Net als het boekje "Onze vogels" is "Onze planten en bomen" bedoeld om de kennis van en over onze natuur te vergroten. Daarom is ook hier gekozen voor de meest voorkomende soorten, want op deze manier kan iedereen gemakkelijk de in dit boek opgenomen planten en bomen vinden. In de beschrijvîngen wordt getracht de planten in te passen in het ecosysteem van onze eilanden zodat de lezer spelenderwijs iets leert over de rol die de planten hierin spelen. Ik hoop dat ik op deze manier iets van het respect en de bewondering die ik zelf voel voor onze werkelijk unieke plantenwereld, kan overdragen.

Ik ben de Dierenbescherming uiterst dankbaar voor het vertrouwen waarmee de verzorging van dit plantenboekje aan mij werd toevertrouwd. Het enthousiasme van het bestuur was tijdens de uitwerking een welkome steun! Ik hoop dat door dit boekje de waardering voor onze natuur zal toenemen en dat het op deze manier het streven van de Dierenbescherming zal ondersteunen.

Preface

In this booklet 63 plants and trees which everyone may encounter daily have been brought together . They are not rare species but rather species which can be found at the roadside or during a quiet walk through the bush. This choice has been made purposely as it has become clear that the knowledge of our flora by the local population has diminished considerably.

Twenty years ago every born Antillean could tell the difference between a Cossie and a Mesquite tree. He or she could tell you the purposes for which the Rock sage and the Black widow were used and everyone knew when the West indian cherry bore fruits. Nowadays, the younger generation hardly knows what a Cossie tree looks like and this spells disaster for our nature. If one does not know nature, one cannot develop an awareness of nature either and this attitude causes much of our valuable flora to fall prey to ill-conceived project development.

As in the previous book on birds "Our birds", this book is written to increase the knowledge of our nature. That is why the choice has been made to describe the most common species so everyone can find the species pictured in this book easily. In the descriptions I tried to fit the plants into the ecosystem of our islands so the reader can learn with ease about the role the plants fulfill. I sincerely hope that in this way I can transfer some of the respect and admiration I myself feel for our unique world of plants.

I am very grateful to the Animal Protection Society for the trust they have given to me for the preparation of this book. The enthusiasm of the board during the process of writing was very stimulating indeed! I hope that this book will help to increase the public awareness of our nature, in this way supporting the goals of the Animal Protection Society.

Bart A. de Boer

Introdukshon
Nos mundu di mata

"Baranka seku", "sumpiña i mas sumpiña", "manera un desierto". Esakinan ta algun di e opservashonnan no mashá positivo di parti di bishitantenan di nos islanan refiriendo na nos vegetashon. Lamentablemente nos mes hendenan tambe ta pensa di e manera akí. Ainda ta kap palu pa loko, ainda ta manda katapila pa "limpia" tereno, komo si fuera nos vegetashon lokal no tin ningun balor. Nos mandatarionan tampoko no ta weta balor di nos flora, mirando e tantísimo pèrmitnan ku ta duna pa proyektonan di konstrukshon na eskala grandi. I esaki semper tin komo konsekuensia ku e vegetashon original ta bai pèrdí kasi kompletamente.

Ta bèrdat ku nos islanan ta mustra seku i sin bida na final di temporada di sekura. Pero en bes di hasi komentario despektivo al respekto, nos mester paga tinu na nos naturalesa i nos lo keda asombrá di deskubrí e diferente strategianan di sobrevivensia ku nos mata- i palunan a desaroyá pa enfrentá e temporada difísil ei. Ku ún bon yobida tur palu i mata seku ta sprùit haña blachi bèrdè atrobe, kambiando aspekto di nos naturalesa di un dia pa otro.

Nos klima, partikularmente e kantidat di awa ku ta kai, ta determiná e tipo di vegetashon di nos islanan. Hopi hende lo keda asombrá di tende ku e kantidat di awa ku ta kai aki ta mas o ménos mes tantu ku e kantidat ku ta kai na Hulanda. E gran diferensia ta, sin embargo, ku aya awa ta kai gradualmente durante henter aña, miéntras ku aki awa ta kai solamente entre òktober i febrüari. Despues tempu di sekura ta kuminsá i awa ta stòp di kai, ounke den lunanan di mei pa yüli nos sa haña algun bon yobida. Esaki ta nifiká ku mayoria di nos matanan ta dependé di temporada di áwaseru pa nan krese i propagá. Den tres luna di tempu nan mester traha blachi, floria, traha fruta i simia. Ademas di esaki nan mester sòru pa un reserva di nutrishon tambe pa por sobreviví den tempu di sekura. Esaki ta eksihí un kapasidat di adaptashon enorme di un mata. Konsekuentemente nos ta weta ku nos matanan a desaroyá yen di manera masha ingenioso di sobreviví. Tin mata ta krea reserva di awa den nan tronkon: káktùsnan, pero tambe Palu di sia kòrá i Palu di sia blanku. Hopi palu ta pèrkurá pa nan blachinan ta mas chikitu posibel, pa asina limitá evaporashon di awa mas tantu posibel: Wabi, Indju i Tamarein ku nan blachinan ku struktura di pluma, ta ehèmpelnan di esaki. Káktùsnan a eliminá blachi mes kompletamente i remplasá nan pa sumpiña. Tin mata ta desaroyá un ret di rais masha amplio pa nan por chupa awa fo'i un área grandi: Milon di seru tin rais di hopi meter largu. Un otro manera ta di traha rais ku ta bai masha hundu den tera te ora nan haña awa: rais di Brasia i Kibrahacha yòn ya ta mas ku dies be mas largu kaba ku e palu mes. Yerbanan tambe sa uza e manera ei. Es ku a yega di purba saka un Skopèt o Beyísima fo'i den tera sa kon hundu nan rais por tira. Tin mata ta lora nan blachi sera den tempu di sekura, limitando evaporashon di e manera akí. Hopi mata ta tuma un desishon radikal: Nan ta laga nan blachinan kai, di manera ku kasi nan no ta evaporá awa mas. Hopi hende ta kere ku ta muri e palunan ta muri ora nan blachi kai. Esaki sigur no ta e kaso; ta e úniko manera pa nan sobreviví sekura sin seka. Hopi yerba tin un solushon mas radikal ainda: nan ta muri. Tin bes e rais ta keda na bida i e mata ta sprùit atrobe despues di un yobida, pero hopi bes e mata ta muri kompletamente. Sin embargo, ya el a sòru traha simia kaba i komokiera ku simia no tin mester di nutrishon, nan sí ta sobreviví sekura. E tipo di "komportashon" akí mester mira komo adaptashon na kondishonnan di e klima ku nan ta aden.

Otro faktor importante ku ta determinante pa nos vegetashon ta nos tipo di suela. Suela di nos islanan ta konsistí prinsipalmente di diabas (mihó bisá: basalt) i kalki. E dos sorto di piedranan akí tin karakterístika kasi opuesto: diabas ta kontené hopi sorto di salu nutritivo, pero e no ta wanta awa bon. Kalki, di otro banda, no ta kontené masha salu nutritivo, pero debí na su poro mikroskópikonan e ta wanta awa bon. Unda nos vegetashon lo ta mihó desaroyá? Kaminda tin tantu diabas komo kalki. Esaki nos ta haña na e terasanan di kalki ku tin un kapa di polvo di diabas ku bientu a supla trese. Ei generalmente nos ta haña arbusto i palu ku ta keda bèrdè henter aña. Ehèmpelnan di esaki ta: Wayaká, Tamarein, Oliba i Oleifi. Den tempu di sekura nan ta sòru pa un tiki koló den nos vegetashon i komo tal nan ta ideal pa planta den kurá o parke. Nos ta weta pues ku diferensia di kondishon di suela ta kousa diferensia di vegetashon. Un bon ehèmpel di esaki ta e vegetashon kantu di nos bénewaternan. E ta konsistí di diferente sorto di mangel, kada sorto adaptá na un zona masha spesífiko ku karaterístika spesífiko: Mangel tan ta krese den awa, e tin rais aéreo ku ta krese for di su takinan bai abou; tras di dje, kaminda ta un poko mas seku, nos ta haña Mangel blanku ku tin rais ku ta krese bai laria. Tras di nan tin e sortonan ku ta rekirí kondishonnan di medio ambiente un tiki diferente. Meskos ku bestia, mata tambe ta adaptá na e kondishonnan spesial ku kada tipo di medio ambiente ta eksihí di nan. Pa e bèrdadero amantenan di mata ta masha fasinante deskubrí e diferensianan akí pa asina siña distinguí e diferente sortonan di vegetashon ku nos islanan ta ofresé.

Por último, un faktor ku a entremeté den medio ambiente i a determiná desaroyo di nos vegetashon: hende. For di momentu ku hende a pone pia na nos tera, nan a influensiá nos vegetashon. Indjannan probablemente, a trese biná i kisas konènchi tambe. Ku esaki nan a introdusí bestia ku ta kome mata na un isla, kaminda te na e momentunan ei ta yuana so tabata desempeñá e papel ei. Hopi despues a introdusí kabritu i esaki a resultá un bèrdadero desaster. Kabritu ta e gran destruktor di naturalesa. E ta kome kasi tur kos ku e haña riba su kaminda. Tur mata ku no por protehé nan mes kontra e bestia golos akí, lo kaba na desaparesé. Loke ta keda ta e mata- i palunan ku di un òf otro manera por defendé nan mes. Esaki por sosodé por ehèmpel, dor di produsí un supstansha ku kabritu no gusta kome, manera e matanan ku ta kontené lechi: Káktùs sürnam, Manzaliña i Palu di lechi. Desaroyo di sumpiña skèrpi tambe ta un manera i di esaki nos tin ehèmpel de sobra: Wabi, Indju, Brasia i tur káktùs. Tin mata a desaroyá kabei kimadó, p.e. Bringamosa. Konsekuensia di e plaga di kabritu ta ku nos vegetashon ta birando dia pa dia mas uniforme, ku solamente algun sorto di mata ku ta krese tur kaminda, miéntras ku e otro sortonan ta krese únikamente kaminda no tin kabritu. Awor ku nan a saka tur kabritu for di Parke Kristòf, ta di spera ku maske ta algu di e variedat tan karakterístiko di un sistema ekológiko salú, lo bolbe.

Palu di lechi ta otro ehèmpel di influensia di hende. A introdusí e mata akí i e no tin enemigu natural. P'esei e por krese tapa áreanan grandi di nos matanan original kompletamente, loke tambe ta kontribuí na uniformidat di nos vegetashon. Ta un lástima ku kabritu no ta kom'é! Pa kolmo ta masha difísil eradiká e mata akí, pues no ta pòrnada nos ta papia di un plaga.

Tur e ehèmpelnan menshoná ta demostrá klaramente ku den mundu di mata tambe tin hopi kos ta sosodé riba nos islanan. Si nos drenta naturalesa ku wowo i mente habrí, nos lo deskubrí sorpresanan agradable. Ta e mentalidat akí mester pèrkurá pa nos naturalesa keda konservá pa futuro, pa e no bira víktima di kudishi i falta di vishon di un grupito.

Inleiding
Onze plantenwereld

"Kale rots", "alleen maar stekels en doornen", "een soort woestijn". Ziedaar enige van de minder vleiende opmerkingen van bezoekers aan onze eilanden over de vegetatie. Jammer genoeg schijnt de lokale bevolking er niet veel anders over te denken. Er wordt nog steeds in het wilde weg gekapt, platgeslagen en "schoon" gebulldozerd alsof de plaatselijke begroeiing geen enkele waarde heeft. Ook onze bestuurders zien de waarde van onze flora niet in, getuige het grote aantal terreinen waarvoor zonder meer vergunningen zijn afgegeven voor grootschalige bouwprojecten. En dat betekent altijd dat de plaatselijke vegetatie praktisch compleet wordt verwijderd.

Toegegeven, aan het eind van de droge tijd ziet het eiland er dor en droog uit. Maar in plaats van daar minachtende opmerkingen over te maken, zou de aandachtige beschouwer juist verbaasd moeten staan over de verschillende overlevingsstrategieën die onze planten en bomen hebben ontwikkeld om deze moeilijke tijd door te komen. Er hoeft namelijk maar één flinke regenbui te vallen en alles wat er als dood uitzag, spruit fris jong groen waardoor het karakter van het landschap van de ene op de andere dag verandert.

Het type vegetatie dat op onze eilanden voorkomt, wordt sterk bepaald door het klimaat, en dan vooral door de hoeveelheid regen die er valt. Het zal veel mensen verbazen dat hier per jaar ongeveer evenveel regen valt als in Nederland. Het grote verschil is echter dat in ons rijksdeel overzee die regen geleidelijk, gedurende het hele jaar valt terwijl bij ons bijna alles in de maanden tussen oktober en februari valt. Daarna wordt het droog en blijft het droog al wil het nog wel eens stevig regenen in de periode van mei tot juli. Dat betekent dat de meeste planten voor hun groei en voortplanting van de regenperiode afhankelijk zijn. In drie maanden tijd moeten ze dus bladeren maken, bloeien, zaden en vruchten maken èn genoeg reservevoedsel opslaan om de droge tijd door te komen. Dat vergt veel van het aanpassingsvermogen van een plant! We vinden dan ook soorten die op allerlei slimme manieren de droge tijd weten te overleven. Zo zijn er planten die watervoorraden aanleggen in hun stam: de cactussen maar ook de Rode en Witte zadelboom. Veel bomen zorgen dat hun bladoppervlak zo klein mogelijk blijft zodat er weinig water verdampt: de Wabi, de Indju en de Tamarinde met hun geveerde bladeren zijn hier voorbeelden van. De cactussen hebben hun bladeren zelfs helemaal afgeschaft en er stekels voor in de plaats gezet. Sommige planten maken heel uitgebreide wortelstelsels zodat ze water uit een groot gebied kunnen opnemen: de Bolcactus heeft wortels die meters lang kunnen worden. Als plant kun je natuurlijk ook met je wortels diep de grond in gaan zodat je bij het grondwater kunt komen: de jonge Brasia's en Kibrahacha's hebben al wortels die tien keer zo lang zijn als het boompje zelf. Ook de kruidachtige planten vertonen dit soort aanpassingen. Wie wel eens geprobeerd heeft de Skopèt of een te opdringerige Bellisima uit de tuin te verwijderen, weet hoe diep die wortels kunnen zitten.

Sommige planten krullen hun bladeren op als het te droog wordt, waardoor de verdamping wordt beperkt. Veel planten nemen een radikale beslissing: ze laten hun bladeren vallen zodat ze bijna geen water meer verdampen. Veel mensen denken dat de bomen aan het doodgaan zijn als hun bladeren vallen. Dit is absoluut niet waar; het is de enige manier voor zo'n boom om de droge tijd door te komen omdat hij anders uit zou drogen. Veel kruiden hebben een nog radikalere oplossing: ze sterven simpelweg af. Soms blijft de wortel dan nog leven en loopt de plant na een regenbui weer uit, maar vaak sterft de hele plant af. Hij heeft dan echter al voor zaden gezorgd en omdat zaden niets verbruiken kunnen deze gemakkelijk de droge tijd doorstaan. Dit soort "gedrag" moet gezien worden als aanpassing aan de heersende klimaatsomstandigheden.

Er is nóg een belangrijke factor die bepalend is voor onze vegetatie en dat is de bodem. Onze eilanden bestaan voornamelijk uit diabaas (beter gezegd: basalt) en kalksteen. Dit zijn gesteenten met bijna tegengestelde eigenschappen: het diabaas kan veel voedingszouten bevatten maar houdt slecht water vast. Het kalksteen daarentegen is juist arm aan voedingszouten maar het houdt door alle microscopische poriën juist goed water vast. Waar zul je dus de best ontwikkelde vegetatie aantreffen? Op die plaatsen waar diabaas en kalksteen samen voorkomen. Dat zijn vooral de kalkterrassen waar door de wind een laag diabaasstof overheen is gelegd. Daar treffen we dan ook meestal struiken en bomen aan die het hele jaar door groen blijven. Voorbeelden van deze "evergreens" zijn de Wayaká, de Tamarinde, de Oliba en het Olijfje. Dit zijn elementen in de vegetatie die ook in de droge tijd nog voor wat kleur zorgen en als zodanig zijn ze ideaal voor aanplant in tuinen of parken. De verschillen in bodemgesteldheid geven dus aanleiding tot verschillen in vegetatie. Een fraai voorbeeld hiervan vinden we ook aan de binnenbaaien waar de randbegroeiing bestaat uit verschillende soorten mangroves die elk zijn aangepast aan een zeer specifieke zone met bepaalde eigenschappen: de Mangel tan in het water met hangende luchtwortels en de Mangel blanku daarachter, waar het droger is, met juist opstaande luchtwortels. Daarachter groeien soorten die weer net even andere eisen aan het milieu stellen. Net als bij dieren zijn ook planten aangepast aan de zeer speciale eisen die elk milieu aan hen stelt. Voor de ware plantenliefhebber is het fascinerend om deze verschillen te ontdekken om zo de verschillende vegetatietypes die onze eilanden rijk zijn, te kunnen onderscheiden.

Dan is er ook een binnengedrongen milieufactor die bepalend is geweest voor de ontwikkeling van onze vegetatie en dat is de mens. Vanaf het moment dat de mens hier voet aan wal zette, heeft dit invloed gehad op de vegetatie. De Indianen brachten waarschijnlijk het hert mee en misschien ook het konijntje. Dat betekende de introductie van herbivoren op een eiland waar tot dan toe alleen de leguanen deze rol vervulden. Veel later werden de geiten geïntroduceerd en dat werd een regelrechte ramp. Geiten zijn de grote vernielers van de natuur. Ze eten bijna alles. Elke plant die zichzelf niet weet te beschermen tegen deze vraatzuchtige dieren zal uiteindelijk verdwijnen. Wat er overblijft zijn de planten en bomen die zich op de een of andere manier weten te handhaven. Dat kan door het maken van stoffen die voor geiten niet lekker smaken zoals planten doen die melksap bevatten: de Kaktus surnam, de Manzaliña en de Palu di lechi. Het kan ook door scherpe doornen te ontwikkelen en daar hebben we genoeg voorbeelden van: de Wabi, de Indju, de Brasia en alle cactussen. Sommige planten hebben brandharen ontwikkeld zoals de Bringamosa. Het gevolg van de geitenplaag is dus dat de vegetatie eenvormig wordt met slechts enkele veel voorkomende soorten, terwijl andere soorten alleen kunnen gedijen op plaatsen waar geen geiten kunnen komen. Nu het Christoffelpark op Curaçao geitenvrij gemaakt is, mogen we verwachten dat daar iets terugkeert van de gevarieerdheid die een gezond ecosysteem kenmerkt.

De Palu di lechi is een ander voorbeeld van de invloed van de mens. Deze plant is hier ingevoerd, heeft geen natuurlijke vijanden en overwoekert de oorspronkelijke vegetatie. Wat is het jammer dat deze plant niet door de geiten wordt opgegeten! De plant is bovendien zeer moeilijk te verwijderen zodat we met recht van een plaag mogen spreken. Grote gebieden kunnen overwoekerd raken door de Palu di lechi en ook dit draagt bij tot de eenvormigheid van de vegetatie.

Al deze voorbeelden laten duidelijk zien dat er ook op plantengebied genoeg te beleven valt op onze eilanden. Iedereen die met open oog en een open geest de natuur intrekt, zal steeds weer voor aangename verrassingen komen te staan. Het is deze houding die er voor zal moeten zorgen dat de natuur ook in de toekomst behouden blijft en niet ten prooi valt aan de hebzucht en kortzichtigheid van enkelen.

Introduction
Our world of plants

"A barren rock", "Only spines and thorns", "Kind of a desert". These are some of the less flattering remarks about the vegetation, made by visitors to our islands. Sadly enough the local population seems to be of the same opinion. More and more cutting, slashing and bulldozing is being done as if the local vegetation is of little value. Even our governors do not seem to understand the value of our flora: witness the large number of areas for which permits have been signed to start large scale building projects. This almost always means that the plants and trees on the site are being removed completely.

Admittedly, the island looks arid and barren at the end of the dry season. But instead of making disparaging remarks about this, the attentive onlooker should stand amazed by the different survival strategies our plants have developed to withstand this difficult season. Only one good shower is needed to make all which looked almost dead burst into new leaves and flowers and change the character of the landscape from one day to the next.

The type of vegetation one finds on our islands is determined strongly by the climate, and especially by the amount of rainfall. It may come as a surprise to many people that the amount of rain here equals more or less the yearly amount of rainfall in a country like Holland. The big difference is that in Holland the rain falls gradually, throughout the year, while here almost all rain falls between the months of October and February. After this it remains dry though there may be some rains in May and June. This means that the plants are completely dependent upon the wet season for their growth and propagation. In only three months they have to grow leaves, flower, produce seeds and store enough food to survive the next dry season. That calls for a great adjusting capacity for a plant!

However, we do encounter various crafty ways in which the plants succeed in surviving the dry season. Some plants will store large quantities of water in their tissues like the Cacti do and also the West indian birch. Many trees take care to diminish the total area exposed to evaporation by growing pinnate leaves like the Cossie, the Mesquite and the Tamarind tree. The cacti have shed their leaves completely and have grown spines instead. Some plants grow roots which spread over a large area and in this way increase the area from which they can take in water. The Turk's cap cactus grows roots which can stretch for meters. Of course, being a plant one can also opt for growing the roots as deep as possible to reach for the ground water. Saplings of the Brasilwood, the Yellow poui and the Lignum vitae have roots which are ten times as long as the plants themselves. The herbs too show these kinds of adaptation. Everyone who has tried to remove Minnie root or a too intrusive Coral vine from the garden will know how far down the roots of these plants reach.

Some plants will roll up their leaves if the atmosphere becomes too dry, restricting evaporation in this way. Many plants take a more radical approach: they simply drop their leaves so they will not lose any more water by evaporation. Many people think trees are dying when they lose their leaves. Not so: it is the only way for the tree to get through the dry season alive without drying out completely. Many herbs have an even more definite solution: they simply die off. Sometimes the root will stay alive to start sprouting after the next shower, but often the plant dies off completely. However, before dying it has made sure to produce seeds and as these do not need any water or food, they can easily survive until the next rainy season starts again. This kind of "behaviour" must be seen as adjustments to the ruling environmental circumstances.

Another factor almost as important in determining the type of vegetation is the soil. Our islands consist mainly of basalt (often called diabase) and limestone. These are rocks with almost reverse characteristics: the basalt may contain many minerals but it will not hold water very well. The limestone is poor in minerals but by its microscopic pores it will hold water very well indeed. Where will we find the most luscious vegetation? Exactly in those sites where the two types of rock occur together. These sites can be found on the limestone terraces where the wind has blown a layer of basaltic dust onto the limestone rock. These are also the sites where one finds the deciduous trees. Examples of these "evergreens" are the Lignum vitae, the Tamarind tree, the Olive wood and the Wild olive. These trees and shrubs lend some colour to the landscape in the dry season and as such they are ideally suited for gardens and parks. The differences in soil-composition give rise to differences in vegetation. This cannot be shown better than by studying the zonation of the mangroves along our inner bays. Every species of mangrove is adapted to a specific set of environmental parameters: the Mangrove grows in the water and hence has hanging aerial roots. The Black mangrove grows on a bit higher ground and so has aerial roots sticking upwards from the soil. Behind these two species, on even drier grounds, one finds other species adjusted to yet another set of environmental factors. Just like animals, plants are adjusted to the specific demands the different environments make on them. To the real plant lover it is fascinating to discover these differences and in doing so, to be able to distinguish between the different vegetation types on our islands.

There is still another environmental factor which has had a great influence on the development of our vegetation and that is man. From the moment man put foot on these islands he has been a determining factor for the vegetation. The Indians probably brought the local deer with them and maybe the cottontail too. This meant the introduction of herbivores where before there were only iguanas. Much later the goats were introduced and that resulted in an environmental disaster. Goats are the great destructors of nature. They eat almost everything. Every plant which does not have sufficient means to defend itself against these roving herds will disappear eventually. Only plants and trees which know how to fend off these beasts will maintain themselves. This is possible by producing substances which goats do not eat, like the milk in some plants: the Monkeypuzzle tree, the Manchineel tree and the Rubber vine have adopted this defense. One may also develop sharp spines or thorns and our islands offer plenty examples of these: The Cossie, the Mesquite, the Brasil tree and all cacti are to be handled with care. Some plants developed stinging hairs like the Devil's nettle. The result of the plague of goats however, is that the vegetation has become uniform with only a few species occurring in large numbers while other species can grow only on places out of reach of the goats. Now the Christoffel park has ridden itself of its goat population, one may expect to see the return of some of the variation which characterizes a healthy ecosystem.

The Rubber vine is another example of the unholy influence of man. This plant was introduced here, did not encounter any natural enemies and now smothers the original vegetation. Here one would wish the goats would eat this pest but alas, it contains a sticky sap unpalatable to the horned fiend. Besides, the vine is very difficult to remove and has covered large areas already, thus contributing to the lack of variation in the vegetation.

All these examples show clearly there is much to experience in our own world of plants. Everyone, who will explore our natural world with an open eye and open mind, will be pleasantly surprised time and time again. It is this attitude which may preserve our nature for the future and which will prevent it from falling victim to the greed and shortsightedness of a few people.

Skopèt
Ruellia tuberosa

Skopèt ta un mata mashá komun den kurá i kant'i kaminda. E no ta krese masha haltu; su stèngelnan por bira masha largu, pero nan ta lastra na suela. Nan ta kubrí ku kabei fini. Su blachinan ta oval, koló bèrdè kla. Su flornan tin forma di trèktu, koló blou püs ku un rant blanku parti abou. Su raisnan ta forma batata ku ta penetrá hundu den tera. Unabes Skopèt krese un kaminda, no por eliminá nan fásilmente. Su fruta ta seku, largu smal yen di simia. Ora nan muha, p.e. despues di un yobida, nan ta rementá habri ku zonido plamando simia rònt. Esaki a dun'é su nòmber. Un wega ku mucha gusta hasi mashá ta duna hende e fruta pa purba. Asina skupi muha e fruta, e ta rementá yena e víktima su boka yen di simia chikí seku.

Skopèt

De Skopèt is een veel voorkomend kruid in tuinen en langs wegkanten. De plant groeit dicht langs de grond maar kan wel vrij lange stengels maken die dan over de grond liggen. De stengels hebben een fijne beharing. De bladeren zijn ovaal, de bloemen trechtervormig, paarsachtig blauw met wit aan de basis. De wortels zijn iets verdikt en gaan diep de grond in. De planten zijn dan ook moeilijk te verwijderen als ze eenmaal in de tuin groeien. De droge vruchten zijn dun en langwerpig en bevatten veel kleine zaadjes. Als de vrucht vochtig wordt, bij een regenbui bijvoorbeeld, springt deze open en dan worden de zaadjes ver weg geslingerd. Dit gebeurt met een hoorbaar knalletje, vandaar de naam Skopèt, de Papiamentse naam voor geweer. Een bekend grapje is om iemand zo'n vruchtje in de mond te laten steken. Het springt dan open en het slachtoffer heeft een mond vol fijne, droge zaadjes.

Minnie root, Duppy gun

The Minnie root is a common plant in gardens and along waysides. It keeps close to the ground although the stems may grow rather long. The stems are covered with very fine hairs while the leaves are elliptical and light green. The flowers are funnel shaped and blue to violet in colour with some white at the base. The roots form tubers which can grow deep into the ground, making it very difficult to pull out the plants completely. The plant forms longish, thin seedpods which, if they are being moistened by a shower for example, explode with an audible crack. Hence the Papiamentu name "Skopèt" which means gun. A prank played by children is to induce a person to take the seedpod in the mouth whereupon it will explode leaving the victim with a mouthful of very small, grainy seeds.

Pita, Kuk'i indjan, Kukuisa
Agave vivipara

Asta pa eksperto ta difísil distinguí entre e diferente sortonan di Pita. Ta uza e nòmber Pita pa e sortonan mas grandi i Kuk'i indjan pa esnan mas chikitu. Tur tin blachi diki, karnoso den forma di un rosèt grandi. E blachinan tin punta skèrpi i di algun sorto nan tin spiña na rant tambe. Banda di mart e matanan mas bieu ta saka un stèngel diki ku ta krese bai laria un par di meter. Na kabes di e stèngel ta forma taki kòrtiku ku flor hel. E flornan ta kontené hopi néktar i den dia hopi para (blenchi, chuchubi, barika hel, trupial) ta bishitá nan, miéntras ku anochi ta bùrt di raton di anochi. Ora e flornan muri, ta sali kápsula di simia. Hopi di e simianan ta sprùit ora nan ta na e mata ainda. E echo akí a duna un di e sortonan e nòmber *vivipara* (= pari bibu) na latin. Unabes e kaba di floria, e mata ta muri poko poko. Antes tabata uza sierto sorto di Pita pa forma tranké, loke a dun'é e nòmber di Pita di tranké (*A. karatto*). Na Malpais a planta un di e sortonan di Pita (*A. sisalana*) i ku tempu el a bira mata di mondi. E sorto ku mas ta krese den mondi ta *A. vivipara*, esun ku ta pari yu bibu.

Agave

De verschillende Agave-soorten zijn ook voor experts moeilijk uit elkaar te houden. De naam Pita (Agave) wordt in het algemeen gebruikt voor de grotere soorten, terwijl de kleinere soorten worden aangeduid met Kuk'i indjan. Ze hebben allemaal zeer dikke, vlezige bladeren die een grote rozet vormen. De bladeren eindigen in een stevige stekel en langs de randen kunnen wel of geen stekels zitten.

Omstreeks maart verschijnt er in de oudere planten (na zeven jaar, naar men zegt) een dikke bloemstengel die meters hoog kan groeien. Bovenaan deze stengel vormen zich korte zijtakken met gele bloemen eraan. De bloemen bevatten zeer veel nectar en worden overdag druk bezocht door allerlei vogels (kolibri, chuchubi, suikerdiefje, troepiaal) en 's nachts door vleermuizen. Aan deze bloemstelen verschijnen daarna de zaaddozen. Veel van de zaden lopen al uit terwijl ze nog aan de plant zitten. Er zitten dan al kleine, nieuwe plantjes aan de bloemsteel en dit heeft een van de soorten de naam *vivipara* (levendbarend) gegeven. Na de bloei sterft de plant langzaam af. Vroeger werd een bepaalde soort als "trankeer" (terreinafscheiding) gebruikt (Pita di tranké, *A. karatto*). Op Malpais is de sisal-agave (*A. sisalana*) aangeplant en later verwilderd. De meest voorkomende soort in het wild is de *A. vivipara*.

Century plant

Even for experts it is difficult to distinguish between the different species of Agave. In Papiamentu the large species are commonly called "Pita" while the smaller species are known as "Kuki'indjan". All the Century plants have large fleshy leaves which form a large rosette. The leaves are sharply pointed and end up in a heavy spine. The edges of the leaves may or may not bear smaller spines. In March the older plants form a thick stem which may grow several meters high. At the top branches are formed which bear the yellow flowers. The flowers contain lots of nectar and during the day many birds visit them, a.o. hummingbirds, mocking birds, bananaquits and trupials. At night nectar feeding bats take their share also.

While still on the plant, some of the seeds begin to sprout, forming small new plants on the branches. Hence the name *vivipara* (viviparous) for one of the species. When a plant has bloomed it will die off afterwards. In former times some of the species were being used as fences. (in Papiamentu: "tranké", hence Pita di tranké, *A. karatto*). At Malpais the sisal-plant (*A. sisalana*) was introduced and later allowed to run wild. The most common species encountered is *A. vivipara*.

Banana di ref
Sesuvium portulacastrum

Banda di laman bo ta haña mata ku por resistí ambiente salu. Banana di ref ta un di nan. E ta un mata chikitu ku blachi diki rondó, ku por kubri basta pida tereno. Ora áwaseru kai, su blachinan ta bèrdè. Den tempu di sekura nan ta haña un koló kòrá. E tin flor chikitu koló lila. Su blachinan chikí rondó ta dun'é aspekto di mata sukulento, loke e no ta. Nan ta un forma di adaptashon na e ambiente salu kaminda e ta krese: salu ta seka mata, p'esei su blachinan tin un kapa eksterior diki kubrí ku un supstansha manera was, ku no ta laga awa pasa. Den e blachinan e mata ta warda mas tantu awa posibel pa por resistí sekura, loke mata sukulento tambe ta hasi. Al fin i al kabo, no ta den region seku nan ta krese?

Banana di ref

Vlak bij zee vind je planten die goed bestand zijn tegen een zoute omgeving. De Banana di ref is een klein plantje met dikke, ronde blaadjes dat vlak bij zee grote oppervlakten kan bedekken. Als het geregend heeft, zijn de blaadjes groen. Is het lang droog geweest, dan worden de blaadjes steeds roder. De kleine bloemetjes zijn paars. Het lijkt een vetplantje door de rolronde blaadjes. Dit is een aanpassing aan het zoute milieu: door het vele zout dreigt het plantje uit te drogen en daarom heeft het blaadjes die een dikke buitenlaag hebben, bedekt met een waslaag, zodat er bijna geen water uit kan. In de blaadjes wordt dan zoveel mogelijk water opgeslagen voor de droge tijd, eigenlijk hetzelfde wat echte vetplanten doen. Die groeien immers juist in heel droge streken!

Sea purslane, Sea spinach

At the seashore you'll find plants which can withstand a saline environment. The Sea purslane is a small plant with thick, rotund leaves covering large areas on the shore. When an abundance of rain has recently fallen, the leaves will be green. After a dry period the leaves turn red; when blooming the plants show small purple flowers. It looks like a succulent because of its thick leaves but these are adaptations to the salty environment in which it lives. As the salt threatens to desiccate the plant it has leaves with a thick waxy layer, so hardly any water is lost. The leaves themselves act as fresh water reservoirs for the dry period, just like succulents use to do. After all, succulents live in dry areas, don't they?

Katuna di seda, Katunbòm

Calotropis procera

Un mata yamativo (originalmente di Sahèl, Afrika) ku ta krese kaminda a kita e vegetashon original, pues kant'i kaminda, riba tereno ku nan a yega di limpia pa konstrukshon o kaminda katapila a pasa "limpia". E ta un mata haltu ku stèngel largu, règt i blachi oval rondó, koló bèrdè shinishi. E stèngel i parti abou di e blachinan ta kubrí ku kabei fini. E mata ta kontené un lechi pegapega ku no ta dañino pa kueru. No pon'é na boka ni na wowo sí! Un di e poko bestianan ku ta kome blachi di Katuna di seda ta bichi di e barbulètè oraño ku pretu ku na ingles yama "Monarch butterfly". Su flornan ta chikitu koló blanku ku lila i nan ta krese den forma di paraplü na base di e blachinan. E fruta ta manera un pòmpòn i e ta kontené simia ku katuna suave manera seda. Ora e fruta kibra habri, bientu ta plama e simianan rònt. Antes tabata uza e blachinan kontra insomnio, es desir, ora un hende no por drumi anochi. Tabata pone tres blachi bou di su kusinchi i ora e pega soño mester a saka nan.

Zijkatoen

Een opvallende plant die afkomstig is uit de Sahel (Afrika), en die je tegenkomt op open plaatsen waar de oorspronkelijke vegetatie is weggehaald, dus vooral langs wegkanten, verlaten bouwterreinen etc. Het is een hoge struik met lange, rechte stengels en grote, ovaalronde bladeren die grijsgroen van kleur zijn. De stengel en de onderkant van de bladeren zijn behaard. De plant bevat wit melksap dat bij aanraking kleeft, maar verder niet gevaarlijk is. De rups van de Monarchvlinder is een van de weinige dieren die de bladeren van deze plant eet. De vrij kleine bloemen zijn wit met paars en staan in een scherm in de oksels van de bladeren. De vruchten zijn sterk opgeblazen en bevatten de zaden met zijde-achtig pluis (het "katoen"). Als de vruchten openbarsten wordt het zaadpluis door de wind verspreid. De bladeren werden wel gebruikt bij slapeloosheid: je moest drie bladeren onder je hoofdkussen leggen om in slaap te komen. Als je sliep, moest echter iemand anders de bladeren weer weg halen, zonder je wakker te maken!

French cotton, Giant milkweed

This is a conspicuous plant (originally from the Sahel, Africa) encountered in open spaces where the original vegetation has been cut down. It is especially numerous at roadsides, deserted construction sites and localities where they have "cleaned" the bush, i.e. bulldozed every living thing away. It may grow to a tall bush with long, straight stems and large oval-round leaves of a greyish green colour. The stem and the undersides of the leaves are covered with small hairs. The plant contains a milky sap which, when touching, sticks to the skin but does not have any harmful effects. Of course, one should not drink it! The caterpillar of the Monarch butterfly is one of the few animals eating the leaves of the French cotton. The rather small flowers are white and purple and grow in the axils of the leaves. The seedpods are greatly inflated and contain seeds with silk-like fluff (the "cotton"). When the seedpods burst open the seeds are dispersed by the wind.

The leaves have been used as a cure against insomnia: one should place three leaves under one's pillow to sleep well. When soundly asleep another person should take the leaves away without waking you up!

Palu di lechi, Bara di lechi, Kordon di San Fransisko

Cryptostegia grandiflora

E mata akí a bira un bèrdadero plaga na Kòrsou. Despues di promé Guera Mundial a import'é di Madagascar ku e propósito pa kuminsá ku plantashon di rùber. Debí na deskubrimentu di rùber sintétiko e proyekto akí a frakasá i e mata a bira mata di mondi. Pa motibu ku e no tin enemigu natural el a plama rápidamente rònt Kòrsou, prinsipalmente kaminda a kita e vegetashon original. E ta krese den i riba otro mata i e ta kaba na stek nan. Si nos ke konservá nos vegetashon original, nos mester eridiká e mata akí mas pronto posibel.

Palu di lechi ta un arbusto, pero e parse mas bien un mata loradó. Su stèngelnan largu ku ta lora rònt di otro mata, ta kontené un lechi blanku pegapega, ku nan tabata uza pa traha rùber. Su blachinan tin forma elíptiko i su flornan ta grandi, blanku pa lila, forma di klòk. E simianan ta den kápsula largu, forma di triángulo. Dor ku nan tin plushi, bientu ta plama nan fásilmente, loke ta hasi su eradikashon mashá difísil. Su rais ta masha duru i difísil pa saka. Kada bes ku e sprùit, mester kap kita e taki nobonan mésora. E ta krese na Aruba i Bonaire tambe, pero aya e no a plama tantu.

Rubberliaan

Deze plant vormt een plaag op Curaçao. Hij komt ook op Aruba en Bonaire voor, maar heeft zich daar minder verspreid. Na de Eerste Wereldoorlog werd deze plant vanuit Madagascar ingevoerd om er rubber uit te winnen. Door de opkomst van synthetisch rubber mislukte dit en de plant verwilderde. Omdat er geen natuurlijke vijanden waren, kon de plant zich in snel tempo vermeerderen. Hij weet zich vooral te vestigen op open plaatsen waar de oorspronkelijke begroeiing is weggehaald (door bulldozers bv.). De plant groeit dan over andere planten en bomen heen en verstikt deze op het laatst. Als we de oorspronkelijke begroeiing van onze eilanden willen behouden, moeten we deze plant met wortel en tak uitroeien.

De Rubberliaan is een heester maar lijkt meer op een slingerplant. De lange, slingerende stengels bevatten het witte, kleverige melksap waaruit de rubber gewonnen werd. De bladeren zijn ei- tot ellipsvormig en de bloemen zijn groot, wit-paarsachtig gekleurd en klokvormig. De plant vormt langwerpige driehoekige vruchtdozen waarin paraplu-vormig zaadpluis zit, dat door de wind wordt verspreid. Dit maakt het juist zo moeilijk om de plant te bestrijden. Ook de wortelstok onder de grond laat zich niet gemakkelijk vernietigen. Elke keer wanneer deze wortelstok opnieuw uitloopt moeten eigenlijk de jonge takken direct weer afgesneden worden.

Rubber vine

This plant has become a plague on Curaçao. After the first world war it was introduced from Madagascar with the purpose of extracting latex from it. Because of the production of synthetic rubber the project failed and the plant ran wild. As there were no natural enemies the plant spread very rapidly across the island. It grows specifically on sites where the original vegetation has been disturbed. It then entwines itself in other plants and trees and ultimately suffocates them. If we want to maintain the original vegetation of our island, this plant should be cut up – root and branch alike.

The rubber vine is a shrub but it looks more like some kind of climber. Its long, winding branches contain a white, sticky sap which is the source of the latex. The leaves are elliptical and the flowers are large, whitish purple and bell-shaped. The seeds are ensconced in long triangular seedpods. The seeds with their fluff are dispersed to far away places by the wind which makes controlling the plant all the more difficult. As the rootstock is very hardy, every time new branches sprout from it they should be cut off immediately.

Kalbas
Crescentia cujete

Taki di e palu akí ta krese den tur direkshon. Masha poko bo ta weta un Kalbas ku un bunita korona. E takinan ta kubrí ku grupo di blachi oblongo ku ta bira poko mas hanchu na punta. Su flornan tin forma di klòk i nan ta krese direktamente for di e stam i takinan. Nan ta basta grandi, koló bèrdè; tin bes nan ta pinta lila. E ta un di e palunan favorito di raton di anochi. Su fruta ta e kalbas ku nan ta traha maraka kuné. Ta bora un buraku chikitu den e kalbas saka e kuminda afó i hinka algun simia di flamboyan aden. Riba nos islanan e kalbasnan no ta bira masha grandi. Na Amérika Latino sí nan ta bira masha grandi i nan ta uza nan pa warda awa aden. Bo ta haña nan mashá bunita grabá den tienda di suvenir. Ku e kuminda ta traha un stropi pa fèrkout (strop'i kalbas) i ku e pipitanan ta traha karabobo (un kos dushi). Nan sa baña kachó tambe ku e kuminda, pa mata karpata.

Kalebas

Deze boom heeft takken die alle richtingen uitsteken. Hij vormt dan ook zelden een mooie kroon maar ziet er altijd een beetje slordig uit. De takken zijn bezet met groepjes langwerpige bladeren die naar de top toe iets breder worden. De klokvormige bloemen zitten direct tegen de stam en de takken aan. Ze zijn vrij groot en hebben een groenachtige kleur, soms met paarse tinten erin. Deze boom wordt veel door vleermuizen bezocht. De vruchten zijn de bekende kalebassen waarvan o.a. "maraka's" (sambaballen) gemaakt kunnen worden. Men holt de vrucht dan uit en stopt er daarna pitten van de flamboyant in. Op onze eilanden worden de kalebassen niet zo groot, maar in Zuid-Amerika worden de grote exemplaren nog steeds gebruikt als waterkruik. Daar ziet men ook de vaak zeer fraai besneden exemplaren in de souvenirwinkels liggen.

Van het vruchtvlees wordt wel een stroop gemaakt die helpt tegen verkoudheid. De pitten worden verwerkt in de "karabobo" een zoete lekkernij. Als een hond last heeft van teken kun je hem met het vruchtvlees van de kalebas inwrijven. De teken zouden dan verdwijnen.

Calabash

The branches of this tree point in all different directions and very rarely form a well-shaped crown at all. The branches are covered with small groups of oblong leaves, broadening out to the tips. The bell-shaped flowers, growing directly from the stem and branches, are rather large and have a greenish colour with purplish hues. The pollination is done mainly by bats. The fruits are the wellknown gourds, which when hollowed out are filled with the seeds of the flame tree, and used for maracas. On our islands the gourds do not grow very large but in South America the large variety is still being used as a reservoir for all kinds of liquids; artfully carved calabash make beautiful souvenirs.

The pulp of the calabash may be made into a syrup against the common cold. The seeds are used in making "carabobo", a sweet sold by street vendors. Dogs with tick infestations should be washed down with the pulp to get rid of these parasites, or so they say.

Kibrahacha
Tabebuia billbergii

Kibrahacha ta un di e palunan mas spektakular di nos islanan. Na luna di aprel o mei, despues di un bon yobida, den tres dia di tempu e palu ta tur na flor hel bibu. Esakinan ta hala hopi atenshon, mas ainda pasobra den e temporada ei kasi tur otro palu ta bashí. Ta lástima ku ta tres dia so e palu ta floria. Ta te despues ku e flornan kai, e palu ta kuminsá saka blachi. Mas mata tin e tipo di strategia akí: pèrkurá produsí mas hopi simia mas lihé posibel den tempu di awa pa di e manera akí garantisá reprodukshon. Por yama e tipo di floriamentu akí floriamentu di beran. Despues ku e floria, e palu ta haña baliña largu fini ku simia plat leve, ku bientu por plama fásilmente. Ta fásil pa kultivá Kibrahacha di simia i ku bon kuido den kuater pa sinku aña e ta krese bira un palu formal. E palu di e tronkon ta asina duru ku e ta kibra hacha, loke a dun'é e nòmber apropiá di Kibrahacha. Un famia di Kibrahacha ta "Ceder" (*T. pullida*), un palu ku flor lila kla ku forma di trompèt ku awendia ta hopi plantá den kurá di kas.

Kibrahacha

Dit is een van de meest spectaculaire bomen van onze eilanden. Als er in april of mei, na een maandenlange droogte een flinke regenbui valt, ontwikkelt deze boom in drie dagen knalgele bloemen. De gele kronen springen er dan uit in het landschap, ook omdat de andere planten er voor het grootste gedeelte nog kaal bijstaan. Jammer genoeg duurt de bloei niet lang; na drie dagen vallen de bloemen weer af. Pas dan gaat de boom bladeren ontwikkelen. Dit is een soort strategie die bij meer planten voorkomt: als de omstandigheden slecht zijn (droogte), zorgt de plant ervoor dat er snel zaden worden gemaakt, zodat de voortplanting in elk geval veilig is gesteld. Je zou dergelijke planten noodbloeiers kunnen noemen. Na de bloei vormt de boom lange, dunne peulen vol met zeer lichte platte zaden die gemakkelijk met de wind meegevoerd kunnen worden. Deze zaden zijn goed op te kweken en bij goede verzorging heb je na 4 tot 5 jaar een flinke boom in de tuin staan.

De naam Kibrahacha heeft de boom te danken aan het zeer harde hout van de stam. Het hout is zo hard dat de bijl (hacha) er op breekt (kibra). De "ceder" (*T. pullida*) met de lila trompetvormige bloemen die men veel in tuinen aantreft, is familie van de Kibrahacha.

Yellow Poui

This is one of the most spectacular trees of our islands. When in April or May, after months without any rain, the first showers of the short rainy season fall, this tree envelops itself within three days in a shroud of bright yellow flowers. The yellow blooms are all the more conspicuous because most of the other plants are still leafless. The bloom does not last long though; after three days the flowers drop and only then the tree starts growing leaves. This kind of strategy is found in more plants: if the circumstances are unfavourable (drought) the plant makes seeds as fast as possible when the situation permits (showers), in this way assuring reproduction. Such plants could be called bloomers by distress. After the flowering the tree forms long, thin pods full of flat, light seeds which are blown away by the wind. It can easily be grown from seeds and with good care and not too much water, you can have a beautiful tree in your garden after 4 to 5 years.

The Papiamentu name of "Kibrahacha" has its origin in the very hard wood of this tree. The wood is so hard that the ax (hacha) will break (kibra) on it. The pink trumpet tree (*T. pullida*), seen in many gardens here, with the lilac trumpet-shaped flowers, is a close relation of the Yellow poui.

Watakeli, Guana, Bèshi di lora, Shimaruku di baka, Mata di yuana

Bourreria succulenta

E palu akí, inhustamente, no ta mashá konosí riba nos islanan. E tin un tronkon fuerte, koló skur i gran parti di aña e ta yen di blachi lombrante, forma di webu. E ta saka tròshi di flor blanku ku holó fuerte, dushi. Su fruta ta koló oraño bibu i nan ta kologá na tròshi na punta di taki, loke ta hasi e palu mashá dekorativo. Den e temporada ei e ta atraé hopi para ku ta kome fruta, manera chuchubi, trupial i álablanka. E ta un palu ku por resistí sekura i bientu i e ta un hoya den kualke kurá.

Watakeli

Deze boom geniet ten onrechte weinig bekendheid op onze eilanden. Hij heeft een stevige, donkere stam en glanzende ei-vormige blaadjes. Het grootste deel van het jaar behoudt de boom zijn bladeren. Als hij bloeit zit hij vol witte bloemen die in groepjes bij elkaar zitten. Ze geven een vrij sterke, zoete geur af. Ook als de vruchten komen, is deze boom zeer decoratief. De bessen zijn namelijk fel oranje gekleurd en hangen in trossen aan het eind van de takken. In deze tijd trekt de boom veel vruchten-etende vogels aan zoals de troepiaal, de chuchubi en de ala blanku. De boom kan erg goed tegen de droogte en ook tegen de wind en is zonder meer een sieraad in elke tuin.

Cherry, Chinkswood, Bodywood

Unjustifiably, this tree is little known on our islands. It has a sturdy, dark stem and shiny egg-shaped leaves. When flowering it is full of white flowers, which form small groups together and emit a rather strong, sweet smell. When the fruits appear the tree becomes even more decorative. The roundish berries sport a flaming orange and hang in bunches from the tips of the branches. They also attract many fruit eating birds like trupials, mockingbirds and the bare eyed pigeon. As the tree is able to resist long periods of drought and the constant wind, it is quite an asset to any garden.

Karawara, Karawara di mondi
Cordia dentata

E palu akí tin blachi gròf, oval rondó. E ta saka flor chikitu, blanku hel ku ta krese na tròshi den forma di paraplü. Ora e floria e parse e palu hulandes ku yama “vlierboom”. Ora e kaba di floria e ta haña fruta manera bèshi grandi, blanku, manera glas na stelchi di e flornan. E frutanan tin un kontenido pegapega ku para gusta mashá. Alablanka ta guli nan kasi hinté, pero para chikitu ta pik nan habri. Segun nan ta kome, e supstansha pegapega ta keda pega na nan pik. Pa kit'é, nan ta frega nan pik na taki, plamando asina e simianan ku tin aden. Ta uza taki di karawara pa traha kinichi pa boto chikitu i tambe palu di funchi. Sa pone e frutanan den awa di bebe pa dun'é un smak refreskante. Bieunan tabata laga e flornan trèk den awa pa bebe freska nir.

Karawara

De ovaal-ronde bladeren van deze boom voelen ruw aan. Als hij bloeit vormt hij grote schermen van kleine witte, geelachtige bloemen. Hij doet dan heel erg denken aan de Hollandse vlierboom.

Na de bloei verschijnen er grote, glazige, witte bessen aan de bloemstelen. De inhoud van deze bessen is bijzonder kleverig. Veel vogels zijn verzot op deze bessen. De alablanka slikt de bessen praktisch in hun geheel in. Vogels die de bes echter kapot pikken, krijgen de kleverige inhoud aan hun snavel en als ze dat af proberen te vegen, vegen ze ook direct een paar zaden mee af. Op deze manier worden de zaden van de plant verder verspreid.

De takken van deze boom worden wel gebruikt als ribben in kleine boten. Ook wordt de "palu di funchi" (stok om maïspap te roeren) uit dit hout gesneden. De vruchten geven een frisse smaak aan het drinkwater. Vroeger werden de bloemen in een kan water gelegd en het water werd de hele dag gedronken om de nieren te "verfrissen".

Clammy cherry, Lolbolly tree, White manjack

The oval-round leaves of this tree are rough to the touch. When flowering it grows large umbels of small yellowish white flowers which bring to mind the European elder.

After the blooming period, large, white, glassy berries are formed on the flower stems. The contents of these berries are very sticky indeed. Many birds are quite fond of these fruits. The bare eyed pigeon swallows the berries whole but smaller birds which peck at the berries get the sticky substance on their beaks and when trying to rub it off on some branch, they usually take a few seeds with them. This is the way in which the seeds of the tree get spread around.

The branches of this tree are being used as ribs in small boats. When the berries are put in drinking water, they give a fresh taste to it. The flowers were put into a can of water and the water was drunk during the day to "refresh" the kidneys.

Basora pretu, Karishuri
Cordia curassavica

Manera tur e otro “basoranan”, Basora pretu ta un arbusto ku por krese bira sigur dos meter haltu. Su takinan ta koló pretu i esaki, ademas di su flor, ta e karakterístika ku mas ta distinguié di Welensali (*Croton flavens*). Un otro karakterístika ku ta distinguié ta su holó aromátiko penetrante. Su blachinan ta gròf, nan tin forma elíptiko ku rant di skama. Su flornan ta chikitu blanku i nan ta krese manera tapushi, esta, na rei pegá na tur dos banda di un stelchi. Ora e kaba di floria e ta haña bèshi chikí kòrá. Antes nan tabata kome nan, nan ta smak zut. Sa trèk yerba ku e blachinan pa habrimentu di barika i doló di barika durante menstruashon. Sa mara e takinan huntu pa uza pa basora pa bari flur di tera.

Basora pretu

Net als de andere planten die “Basora” (=bezem) worden genoemd, is dit een struik die zeker twee meter hoog kan worden. Hij zou op het eerste gezicht verward kunnen worden met de Wilde salie (*Croton flavens*) maar de donker gekleurde takken van de Basora pretu vormen een duidelijk verschil. Ook de geur is een kenmerk want deze plant heeft een sterke, typische geur, vooral als de blaadjes een beetje gekneusd worden. De blaadjes zijn ellipsvormig met een gekartelde rand en ze voelen een beetje ruw aan. De Basora pretu heeft kleine witte bloemen die in een aar staan. Na de bloei draagt hij kleine rode bessen. Vroeger werden die bessen nog wel gegeten, ze schijnen een zoete smaak te hebben. Een aftreksel van de bladeren schijnt te helpen tegen diarree en buikpijn bij de menstruatie. De samengebonden takken werden en worden gebruikt als ruwe bezems voor het vegen van aarden vloeren.

Black sage

Just like the other plants called “Basora” (which means broom in Papiamentu) this is a bush which can grow to a height of two meters. The branches are black which serves well to distinguish it from the Rock sage (*Croton flavens*). It emits a strong aromatic scent, especially when the leaves are crushed a bit. The leaves are elliptical with a milled edge and a bit rough to the touch. The flowers are small and white, growing in terminal spikes. After flowering, the plant bears small red berries which have a somewhat sweetish taste. An extract of the leaves seems to be helpful against diarrhea and menstrual pains. The branches, tied together, were and are still being used as brooms to sweep earthen floors.

Teku

Bromelia humilis

Teku ta un tipo di bromelia, esta, bromelia di tera. E ta krese den tera i no den palu manera hopi otro sorto di bromelia. Mayoria di hende ta asosiá bromelia ku selva húmedo, pero tin miembro di e famia akí ku ta sinti nan mashá na kas den klima seku, manera esun di nos. Su blachinan largu smal ta krese den forma di rosèt. Rant di e blachinan ta tur na sumpiña skèrpi doblá, ku fásilmente ta keda pega den hende su kueru. Ora e mata kuminsá floria, e blachinan parti paden ta haña un koló kòrá bibu. Meimei di e rosèt ta forma manera un kusinchi chikitu di felpa i riba dje ta sali flor koló pùs. E ora ei e mata ta lusi su máksimo bunitesa. Teku ta saka sprùit fásil, yenando fèlt grandi den poko tempu. Na Kòrsou e ta krese na abundansha den Parke Kristòf i tambe na algun otro lugá. E no ta krese na Aruba. Awendia ta na moda pa plant'é den kurá. No kue nan for di naturalesa sí! Pidi hende ku tin nan plantá kaba den kurá un sprùit i den poko tempu bo kurá tambe lo ta yen di Teku.

Grondbromelia

Bij het woord bromelia denken de meeste mensen aan vochtige oerwouden. Er zijn echter ook leden van deze familie die zich uitstekend thuis voelen in een droog klimaat zoals bij ons. De Teku is een grond-bromelia, d.w.z. dat hij gewoon op de bodem te vinden is en niet in bomen zoals veel andere soorten. De vrij dunne bladeren vormen een rozet. De randen van de bladeren zijn bezet met scherpe, kromme stekels die gemakkelijk in de huid blijven steken. Als de plant gaat bloeien worden de binnenste bladeren knalrood. In het centrum van de rozet ontstaat dan een soort viltachtig kussentje waarop de fel paars gekleurde bloemen staan. De plant is dan op zijn mooist. De plant maakt gemakkelijk uitlopers en vormt op deze manier soms hele velden. Op Curaçao vind je hem vooral veel in het Christoffelpark maar ook op andere plaatsen groeit hij welig. Hij komt niet op Aruba voor. Veel mensen planten hem tegenwoordig ook in hun tuin. Daarvoor moet je echter nooit planten uit het wild meenemen want dan beschadig je onze natuur. Vraag uitlopers bij mensen die de Teku al in de tuin hebben en binnen de kortste keren heb je in jouw tuin ook een heel veld van deze mooie planten.

Bromelia

Thinking of Bromelia's most people will be reminded of humid woods. There are, however, members of this large family which feel quite at home in a dry climate like ours. The Teku is a ground-bromelia which means simply that it grows on the ground and not in trees like so many bromelias do. The rather thin leaves grow in a rosette. The edges carry sharp, hooklike spines which may get stuck in your skin quite easily. When the plant starts flowering, the inner leaves attain a bright red colour. In the centre of the rosette a kind of small felt-like pillow starts to appear and on top of it grow the small, purple flowers. At these times the plants are at their most beautiful. The plant forms runners and can spread over a large area in this way. On Curaçao it is found abundantly in the Christoffel park though it does grow in other sites also. However, it does not grow on Aruba. It has become a sought after garden plant too. One should never take wild plants home as this destroys the natural ecosystem. Ask for runners from people who already have the bromelias in their garden. Within a short period of time your garden will also be covered with them!

Barba di kadushi, Marí di palu
Tillandsia recurvata

Hopi hende ta weta e mata akí pa nèshi di para. E ta forma bola shinishi den tur sorto di palu i ta bèrdat ku nan parse nèshi mas ku nan parse mata. Si bo paga tinu sinembargo, bo ta weta ku e ta famia di bromelia. En realidat kada bola ta un kolonia di bromelia chikitu. E blachinan ta smal, doblá, koló shinishi. E flornan tampoko no ta gran kos: for di e bolanan ta sali stelchi ku flor chikitu, püs kla ku apénas ta sali for di e kális maron. E simianan tin plushi ku bientu por plama fásilmente. Si nan kai riba kualke taki, nan por sprùit. Tin taki ta asina yen di e mata akí ku nan no por produsí blachi mas i pokopoko e takinan ta muri.Ora áwaseru kai i e Marí di palunan chupa yena nan mes ku awa, nan peso por bira di mas pa e taki morto i e ta kibra. Ounke Marí di palu ta krese riba taki di palu, e no ta saka alimento for di nan. Un mata ku ta uza un otro mata djis pa pega ariba, yama epifit.

Boombaard

Door veel mensen wordt deze plant aangezien voor een vogelnestje. Hij vormt namelijk grijze bollen in allerlei bomen en die lijken inderdaad meer op nestjes dan op planten. Als je van dichtbij kijkt zul je echter zien dat het familie van de bromelia's is. Eigenlijk is elke bol een kolonie van bromeliaplantjes. De bladeren zijn dun, gebogen en grijs van kleur. Ook de bloemetjes zijn niet erg opvallend: uit de bolletjes steken de bloemstelen naar buiten en aan het eind zitten de kleine, lichtpaarse bloemetjes die maar net buiten de bruine kelkbladeren uitsteken. De zaden hebben zaadpluis zodat ze door de wind verspreid kunnen worden tot ze op een tak van een andere boom landen waar ze dan kunnen ontkiemen. Sommige takken zijn zo bezet met deze plantjes dat ze zelf niet meer in staat zijn om bladeren te produceren. Zo'n tak kan afsterven en als het dan een keer regent en de Tillandsia's zuigen zich vol met water, kan het gewicht voor de tak te veel worden en kan hij afknappen. De plant groeit wel op de takken van bomen, maar hij haalt er geen voedingsstoffen uit. Zo'n plant die een andere plant alleen maar gebruikt als aanhechtingsplaats heet een epifyt.

Ball moss

When looking at these plants, many people think they are looking at birds' nests as they grow in grey ball-like clusters in all kinds of trees. They indeed do resemble nests of some animal. Looking closely, you will be able to see it is a plant, related to the bromelias. Actually, every "ball" is a colony of small bromelias. The leaves are thin, curved and grey. The small flowers are not very conspicuous either: the flower stems protrude from the balls and at the ends some small, light violet flowers just show over the edges of the calyxes. The seeds carry fluff and are dispersed by the wind. When they land on another branch the seeds may germinate there and form a new colony. Some branches carry so many of these colonies that the branch itself cannot grow leaves anymore. It may die off and then, when rain falls and the Tillandsia fills itself up with water, the load becomes too heavy and the branch may snap. Although the Tillandsia does grow on the branches, it does not take any minerals, water or food from the tree. Such a plant, which uses another plant solely as a medium to attach itself to, is called an epiphyte.

Palu di sia kòrá
Bursera simaruba

E tronkon lizu koló kòrá di e palu akí ta hala atenshon. E kapa eksterior di e bastu ta kaska kontinuamente. Na Amérika Latino nan ta yama e palu akí “El Indio desnudo” (Indjan sunú). E tronkon ta bira mashá diki, pero e ta krese korkobá. Su palu ta asina moli, ku ántes nan tabata traha sia pa buriku kuné. Su nòmber na hulandes, “Rode zadelboom”, probablemente ta un tradukshon literal di esun na papiamentu. Ku tronkon di Palu di sia blanku (*B. bonairensis*), un ruman ku tronkon koló hopi mas kla, tambe nan tabata traha sia. Blachi di Palu di sia kòrá ta krese leu fo'i otro. Nan ta oval, kabando den un punta skèrpi. Despues di tempu di awa Palu di sia ta un di e promé palunan ku ta pèrdè blachi. Tòg e por resistí temporadanan largu di sekura bon. E ta saka flor blanku, no mashá bistoso, ku ta krese na tròshi na e ramanan. Su fruta ta koló maron kòrá. Un di tres famia ta Takamahak (*B. tomentosa*). E ta distinguí su mes di e dos otronan pa medio di su blachinan. Nan tin kabei suave i nan stelchi di blachi tin manera ala i ademas e blachinan tin rant di skama.

Rode zadelboom

Deze boom is opvallend door zijn gladde, roodachtige stam. De buitenste laag van de bast schilfert af in vliesdunne vellen. Het lijkt alsof de boom voortdurend aan het vervellen is. In Zuid- en Midden-Amerika wordt deze boom "El Indio desnudo" (= de naakte Indiaan) genoemd. De stam kan zeer dik worden en groeit vaak met grote kronkels omhoog. Het hout is zo zacht dat er vroeger ezelzadels van werden gemaakt. (De Nederlandse naam is waarschijnlijk een letterlijke vertaling uit het Papiamentu.) Dit gebeurde ook met een broertje van deze soort: de witte zadelboom (*B. bonairensis*) die een veel lichter gekleurde stam heeft. De bladeren van de Rode zadelboom staan vaak ver uit elkaar. Ze zijn ovaal, uitlopend in een spitse punt. Na het natte seizoen is deze boom een van de eerste die zijn bladeren laat vallen. Toch is hij in staat langdurige droogteperiodes goed te doorstaan. De witte bloempjes zijn vrij onopvallend, ze staan in kleine trossen aan de twijgen. De vruchtjes zijn roodbruin. Een derde familielid is de Takamahak (*B. tomentosa*). Deze is van de andere twee soorten te onderscheiden door de zachte, behaarde bladeren die een gevleugelde bladsteel hebben. De bladranden zijn bovendien gekarteld.

West Indian birch, Turpentine tree, Gum tree

The smooth, reddish trunk of this tree is its most conspicuous feature. The outer layer of the bark flakes off in a paper thin film. It looks as if the tree is continuously peeling. (In South and Middle America this tree is called "The naked Indian".) The trunk can become quite massive and often grows upwards in great curves. The wood is so soft that formerly donkey saddles were made of it. (The Papiamentu name means Saddletree) This was also done with a close relative : the white gum tree (*B. bonairensis*) the trunk of which has a much lighter colour.

The leaves of the gum tree grow far apart on the branches. They are oval and pointed. After the wet season this tree is one of the first to drop its leaves when drought sets in but it can withstand long periods of drought quite well. The small white flowers are rather inconspicuous, occurring in small bunches on the twigs. The fruits have a reddish brown colour.

A third member of this family is the *B. tomentosa*, distinguished by its soft, hairy leaves which show small wings on the main leaf stem and the leaf edges are milled.

Kadushi di kolebra
Acanthocereus tetragonus

Kadushi di kolebra ta un káktùs subidó. Esaki ke men ku su strèn ta krese abou na suela te ora e yega na un palu ku e por tene subi na dje. E strèn tin 3 pa 4 repchi (e segmentonan mas yòn por tin mas). Rant di e repchinan ta ondulá ku un grupo di sumpiña riba kada tòp. Un grupo di sumpiña asina yama areola. Serka e káktùs akí kada areola ta konsistí di 6 pa 8 sumpiña. Manera hopi otro káktùs Kadushi di kolebra ta floria anochi ku flor grandi blanku ku ta kontené hopi stámen. E flornan ta hole dushi i semper nan ta yen di barbulètè di anochi, tòr i raton di anochi. Su fruta ta rondó, koló kòrá, tur na sumpiña.

Awendia ta uza e nòmber Dama di anochi pa tur káktùs ku ta floria anochi ku flor grandi, blanku. Originalmente, e nòmber akí ta pertenesé na *Cereus hexagonus* so, un sorto di káktùs di pilá kultivá ku sa floria ku mas di shen flor den un anochi.

Slangencactus

Dit is een klimmende cactus. Dat wil zeggen dat de stam over de grond kruipt totdat hij bij een boom komt waar hij tegenop kan groeien. De cactus heeft 3 tot 4 ribben (jongere delen kunnen meer ribben hebben). De zijkant van elke ribbe heeft uitbochtingen die op de top steeds een groepje doornen dragen. Zo'n groepje doornen heet een areool. Bij deze cactus bestaat elk areool uit 6 tot 8 doornen. Net als veel andere cactussen bloeit deze Slangencactus 's nachts met grote witte bloemen met ontzettend veel meeldraden. Hij verspreidt een zoete geur en wordt druk bezocht door nachtvlinders, kevertjes en vleermuizen. De vrucht is rond, rood en met doornen bezet.

De naam "Koningin van de nacht" wordt tegenwoordig gebruikt voor alle cactussen die 's nachts grote witte bloemen laten zien. Eigenlijk behoort deze naam toe aan de *Cereus hexagonus*, een gekweekte zuilcactus die inderdaad in één nacht honderden bloemen kan laten bloeien.

Snake cactus

This is one of the climbing cacti the stem of which will grow along the ground until it encounters a tree in which it will grow upward along the trunk and branches. The stem has 3 to 4 ribs though younger parts may show more. The edge of each rib shows long, outward bending curves on the tip of which one finds groups of spines. Such groups are called areoles. In this species each areole consists of 6 to 8 spines. Just like many other cacti the Snake cactus blooms at night with large white flowers containing very many staminae. They emit a strong sweet smell and are visited by moths, beetles and bats. The fruit is round, red and covered with spines.

Nowadays the name "Queen of the night" is being used for all night blooming cacti displaying large white flowers. Originally the name belongs to the *Cereus hexagonus*, a cultivated candle cactus which indeed may bloom with hundreds of flowers in a single night.

Kadushi di pushi, Brebe di pushi, Foño, Funfun
Pilosocereus lanuginosus

Káktùs a sa di adaptá na un manera spesial na e klima seku kaminda nan ta krese. Na lugá di blachi nan tin sumpiña, pa di e manera akí no pèrdè awa pa motibu di evaporashon via blachi. E tronkon a tuma funshon di e blachinan: e ta kontené klorofila i e ta pèrkurá pa traha kuminda. Ademas káktùs ta poseé un tehido spesial ku por warda awa. Den tempu di sekura e tehido ta kremp, pone repchi di e káktùs resaltá mas tantu. Tempu di áwaseru e tehido ta chupa awa i hincha, hasi e káktùs yena atrobe. Tin tres sorto di káktùs di pilá na nos islanan i ta difísil distinguí nan. Por distinguí Kadushi di pushi mésora di e dos otronan na e kabei largu blanku ku e tin na tòp di su brasanan i na su sumpiñanan largu hel. E no tin hopi brasa, kada brasa tin 8 pa 10 repchi. Su areolanan tin 10 pa 20 sumpiña. Kadushi di pushi tambe ta floria anochi, pero su flornan ta basta mas chikitu ku esnan di Dama di anochi; nan ta midi 6 sèntimeter so i nan ta koló krèm kla. Su fruta ta kòrá ku forma di un bola plat sin sumpiña ariba.

Zuilcactus

Cactussen zijn op een bijzondere manier aan ons droge klimaat aangepast. Ze hebben hun bladeren veranderd in doornen zodat ze geen water verliezen door verdamping via de bladeren. De functie van de bladeren, het maken van voedsel, wordt nu overgenomen door de stam die bij cactussen het bladgroen bevat. Bovendien bezitten de cactussen speciaal weefsel waarin water kan worden opgeslagen. In de droge tijd is dit weefsel ingevallen, waardoor de ribben van de cactus ver uitsteken. In de natte tijd zwelt dit weefsel juist weer op en de cactus wordt weer een stuk ronder.

Het blijft moeilijk om de drie soorten zuilcactussen uit elkaar te houden. In het Nederlands worden alle soorten simpelweg aangeduid met het woord “zuilcactus” hoewel ze verschillend zijn. De Kadushi di pushi kan direct onderscheiden worden van de twee andere soorten omdat de top bedekt is met lange witte haren en lange gele doornen. De cactus is weinig vertakt en de takken hebben 8 tot 10 ribben. De areolen bestaan uit 10 tot 20 doornen. Ook deze cactus bloeit ’s nachts, maar de bloem is veel kleiner dan die van de Slangencactus, slechts 6 cm. lang. De kleur is roomachtig wit. De vruchten zijn rood, en hebben de vorm van een afgeplatte bol zonder doornen.

Candle cactus

Cacti show special adaptations to the dry climate in which they flourish. Instead of leaves they have grown spines to prevent water from evaporating via the leaf-surfaces. The making of food, actually the task of the leaves, is now being done by the stem which contains chlorophyll. Also, the cacti have special tissue to store water: in the dry period the ribs are accentuated with the greatly shrunken tissue in between. In the wet period this tissue swells again and the cactus “rounds out”. It is difficult to distinguish the different species. In English all species are called Candle cactus though they are different. The “Kadushi di pushi” can be distinguished by the long white hairs and the long yellow spines on top of the branches.

This cactus does not ramify very much; the branches have 8 to 10 ribs and the areoles consist of 10 to 20 spines. This cactus, too, blooms at night but the flower is very much smaller than the one from the Snake cactus; only about 6 cm long with a cream white colour. The fruits are red and look like flattened spheres without spines.

Kadushi, Breba

Subpilocereus repandus

Kadushi ku Datu parse otro mashá, pero Kadushi tin ún stam so ku ta ramifiká den diferente brasa. E por krese bira mas di 10 meter haltu. Su repchinan ta kubrí ku areola di 8 pa 20 sumpiña kada unu. E brasanan ta segmentá. E ta floria anochi ku flor ku ta varia di blanku bèrdè te ros. Ta sientífikamente probá ku raton di anochi ta e polinisante prinsipal di e sorto akí. Su fruta yama tampañá; e ta koló kòrá lila i e ta rondó largu sin sumpiña i por kom'é. Ta pela e brasanan yòn i kita e sumpiñanan pa traha (sòpi di) kadushi.

Zuilcactus

De Kadushi wordt vaak verward met de Datu maar is te herkennen doordat hij als een enkele stam begint en zich pas hogerop gaat vertakken. Hij kan zeker 10 m. hoog worden. De ribben van de takken zijn bezet met areolen die elk 8 tot 20 doornen bezitten. De armen vertonen bovendien geledingen. Hij bloeit 's avonds met groenachtig witte tot rose-achtige bloemen. Er is vastgesteld dat vleermuizen de voornaamste bestuivers zijn van deze soort.

De vrucht (tampañá) is rood tot paars, rond langwerpig en bezit geen doornen. De vrucht kan gegeten worden. Jonge takken worden vaak geschild om er soep (kadushi) van te maken.

Candle cactus

This species is often confused with the "Datu". The "Kadushi" is recognizable because it starts with a single trunk and starts branching only when it reaches a certain height. It can grow to a height of up to 10 m. The ribs are covered with areoles, each bearing 8 to 20 spines. The arms of the cactus show segmentation. It blooms at night with greenish white to pink-coloured flowers. Research has proven that the main pollinators for this cactus are nectar feeding bats. The fruit is red to purple, round to oblong and without spines and may be eaten. Young branches are often peeled and used to cook into a soup called "kadushi".

Datu, Yatu, Kadushi
Ritterocereus griseus

E parse Kadushi mashá, pero por distinguí nan na nan stam. Kadushi tin ún stam, ku ta ramifiká, miéntras Datu ta ramifiká direktamente for di tera. E ta forma brasa largu ku ta krese basta haltu bai laria. Su repchinan ta yen di areola di 7 pa 10 sumpiña diki kada unu. E ta floria anochi ku flor krèm kla te ros. E sorto akí tambe prinsipalmente raton di anochi ta polinisá. Su fruta yama dader i e ta rondó, koló kòrá kimá, yen di sumpiña. Si kita e sumpiñanan por kom'é. Nan ta bisa ku e ta bon pa será di kurpa. Chuchubi ku trupial ta loko ku e fruta akí i nan ta kampion den kitamentu di e sumpiñanan. E frutanan akí ta mashá importante pa nan, pasobra den tempu di sekura ta nan so kasi tin. Esaki ta nifiká tambe ku e paranan akí ta dependé, pa un parti di nan kuminda, di raton di anochi ku ta polinisá e flornan. Nan sa bisa ku ekstrakto di Datu ta bon pa piedra na nir. Ta uza Datu hopi pa sera tereno. Ta kòrta pida pida brasa i planta nan banda di otro den un roi no muchu hundu. Hopi bes nan ta pega haña rais i ora bo weta un rei règt asina di Datu den kunuku, bo por tin sigur ku esaki tabata tranké di un plantashi di ántes.

Zuilcactus

Deze cactus is van de Kadushi te onderscheiden doordat hij direct van de bodem af al vertakt. Hij vormt lange takken die metershoog de lucht in groeien. De ribben van de takken zijn bezet met areolen die elk 7 tot 13 stevige doornen dragen. De roomachtig witte tot rose bloemen gaan 's nachts open. Ook deze soort wordt voornamelijk door vleermuizen bestoven. De donkerrode vrucht ("dader") is bol en bezet met doornen. Deze vrucht is, na het verwijderen van de doornen, te eten. Er wordt gezegd dat de vrucht goed is tegen verstopping. Het is een lievelingskostje van de troepiaal en de chuchubi die zeer handig de vrucht van zijn doornen weten te ontdoen. Deze vruchten zijn vooral belangrijk voor hen om de droge tijd door te komen omdat er dan bijna geen andere vruchten beschikbaar zijn. Dit betekent ook dat deze vogels voor een deel van hun voedsel afhankelijk zijn van de vleermuizen die de bloemen immers moeten bestuiven. Een aftreksel van een stuk Datu schijnt te helpen tegen niersteneen. De Datu werd en wordt ook veel gebruikt voor het maken van afrasteringen. Afgesneden takken worden vlak naast elkaar geplaatst in een ondiepe geul. Vaak schieten ze daar weer wortel en als je in de kunuku een kaarsrechte rij Datu's ziet staan, kun je er zeker van zijn dat daar vroeger een plantagegrens liep.

Candle cactus

This cactus can be distinguished from the "Kadushi" because it starts ramifying right from the ground level up. It grows long branches which can stretch for meters into the air. The ribs are covered with areoles, each of which carries 7 to 13 strong spines. The creamy white to pinkish flowers open at night. This species too is being pollinated mainly by bats. The dark red fruit is round and covered with spines; once these have been removed, the fruit is edible. It is one of the preferred dishes of trupials and mockingbirds which are very apt in removing the spines. These fruits are very important to them in surviving the dry period as other fruits are scarce at that time. This also means that these birds are dependent upon the pollinators, i.e. the bats, for part of their food supply. An extract of the "Datu" seems to be a cure for kidney-stones. The plant itself always has been used to build fences with cut-off pieces being placed next to each other in a shallow gully. Often they will grow roots again, and whenever you see a straight line of "Datus" in the bush, you can be sure it was formerly the border of some plantation.

Milon di seru, Kabes di indjan, Bushi
Melocactus spec.

Ni ekspertonan no sa ainda na kua espesie di kaktùs di bola nos Milon di seru ta pertenesé. Esaki no ta straño, wetando e echo ku na nos islanan so ya kaba tin diferente sorto di bòlkaktùs i tur parse otro mashá. E sorto mas komun ta esun ku un 12 repchi ku sumpiña maron kòrá. Ora e floria, e ta haña manera un kusinchi blanku di felpa riba su kabes i riba e kusinchi e ta saka flor chikitu ros. Kada bes ku e floria e kusinchi ta krese, di manera ku e por para bira asina un "chimenea" riba e Milon di seru su kabes. Antes nan tabata uza kabei di e kusinchi pa hinka den sakadó. E fruta ta koló ros pa kòrá kla; por kome nan, ounke nan no tin mashá smak. Lamentablemente hopi hende ta saka Milon di seru for di naturalesa pa planta den kurá. Pero pa por sobreviví tempu di sekura e ta kria un sistema di rais masha largu ku ta kubri basta pida tereno. Ora saka un Milon di seru, ta sigur ku su raisnan ta kibra i ta mashá difísil pa e kria rais nobo. Komo ku su sistema di warda awa ta asina bon desaroyá e por wanta te dos aña promé ku e seka muri. Túresten abo tin un mata muribundo plantá den bo kurá sin sa. P'esei no saka Milon di seru for di naturalesa! Bo ta mata nan i ademas esaki ta prohibí pa lei.

Bolcactus

Zelfs de deskundigen weten nog niet tot welke soort onze bolcactus behoort. Alleen al op onze eilanden bestaan er meerdere soorten bolcactussen die allemaal vreselijk veel op elkaar lijken. De meest voorkomende soort heeft ongeveer 12 ribben die bezet zijn met roodbruine doornen. Als de cactus gaat bloeien verschijnt er bovenop een wit viltig kussentje en hierop staan de kleine rose bloempjes. Bij elke volgende bloeiperiode groeit dit kussentje zodat sommige bolcactussen hele "schoorstenen" op hun "hoofd" hebben staan. Vroeger werd deze pluim gebruikt in de tondeldoos (sakadó). De vruchtjes zijn rose tot lichtrood en goed te eten hoewel er weinig smaak aan zit.

Jammer genoeg willen veel mensen de bolcactus in hun eigen tuin hebben. Ze rukken dan een bolcactus uit de grond en planten hem in de eigen tuin. Om aan voldoende water te komen hebben bolcactussen echter hele lange wortels die zich ondiep in de grond over een groot gebied uitstrekken zodat ze zoveel mogelijk vocht kunnen verzamelen. Als je nu zo'n cactus losscheurt worden de wortels zeker beschadigd. De cactus maakt in je tuin moeilijk nieuwe wortels maar omdat hij goed water kan bewaren, kan het wel twee jaren duren voordat hij dan eindelijk toch uitgedroogd is en dood gaat. Al die tijd heb je eigenlijk een stervende plant in je tuin. Haal dus nooit bolcactussen uit de natuur weg. Je maakt de planten dood en bovendien is het verboden.

Turk's cap cactus

Even experts do not know yet to which species our Melocactus belongs. That is not very surprising considering the fact that on our islands alone there exist various species which look very much alike. The most common species has about 12 ribs covered with reddish brown spines. When flowering the cactus starts to grow a felt-like pillow on top of which appear the small pink flowers. With each succeeding flowering period the pillow grows a bit more and some of the cacti have quite a chimney on their "heads" (the Turk's cap). Formerly these plumes were used in tinderboxes. The fruit is pink to pale red and quite edible though without a distinctive taste.

Many people want to have the Melocactus in their garden. The Melocactus though has a very extensive root system to collect as much water as possible. Therefore, in pulling up the cactus the roots are invariably damaged and it taxes the plant to grow new ones. Because of its water conserving capabilities the cactus will not die immediately but when after a period of two years it finally dries out, it will die off. All those years you have had a dying plant in your garden. Never take any Melocactus from the wild; it damages our nature and besides, it is prohibited by law.

Infrou, Tuna

Opuntia wentiana

Infrou ta e káktùs di blachi mas komun di nos islanan. Su blachinan ta koló bèrdè kla, nan ta diki i nan tin forma di webu o oval. Un Infrou por krese bira un mata formal di 2 meter haltu. E blachinan ta tur na areola di 4 te 7 sumpiña largu. E ta saka flor hel ku ta floria den dia. Despues ku e floria e ta haña fruta kòrá yen di sumpiña. E blachinan ta kibra kai abou fásilmente i nan ta pega na kueru o paña. Ta p'esei el a plama asina riba nos islanan. Hopi bes nos ta weta kabritu ku blachi di Infrou pegá na kurpa. Ora e blachi akí kai abou, e ta pega saka rais mashá lihé. Asina nos ta haña mondi di Infrou tur kaminda ku kabritu ta kana lòs.

Spaanse juffer

Dit is de meest voorkomende schijfcactus op onze eilanden. De lichtgroene schijven zijn dik en ovaal- tot eivormig en ze kunnen planten vormen tot wel 2 m. hoog. Ze zijn bezet met areolen die elk 4 tot 7 lange doornen dragen. Deze cactus bloeit overdag met gele bloemen. Na de bloei kun je de rode, met doornen bezette vruchten op de cactussen aantreffen.

De schijven laten heel gemakkelijk los en blijven dan aan je huid of aan je kleren hangen. Dat is ook de reden dat deze cactus zich zo heeft verspreid op onze eilanden. Vaak zie je namelijk geiten rondlopen met cactusschijven aan hun huid die er later ergens anders weer afvallen. Eén zo'n schijf kan uitgroeien tot een volledige plant. Op plaatsen waar geiten vrij rondlopen kun je dan ook hele cactusbossen aantreffen.

Prickly pear

This is the most common cactus on our islands. The light green segments are fleshy and oval to egg-shaped. The plants may grow up to 2 m in height. They are covered with areoles which carry 4 to 7 long spines. The flowers are yellow and they appear in daytime. After flowering you may find the red spine-covered fruits on the cacti.

The segments separate from the plants very easily and attach themselves quickly to clothes or skin. This is the reason why the Prickly pear has spread all over the islands. Goats often pass through growths of these cacti and the segments attach themselves to their skins. The goats do not seem to be bothered by this and they take the segments with them until they drop to the ground, sometimes miles from the place where they were picked up. One segment may grow to a full cactus again so wherever goats are roaming free, one will encounter vast cactus forests too.

Tuna, Shangran, Chou, Tuna di baka
Opuntia eliator

E diferensia entre Infrou ku Tuna ta mashá bisto; e blachinan di Tuna ta basta mas grandi i nan koló ta mas skur. Un Tuna por krese bira 4 meter haltu. Su sumpiñanan ta maron, loke tambe ta diferensi'é di Infrou. E ta floria den dia; su flor ta hel skur te koló di salmou. Kasi nunka no ta weta e flornan, pasobra blòblò ta kome nan asina nan habri. Su fruta ta mas o ménos rondó, koló kòrá kimá. Antes tabata tira pida blachi di Tuna den awa pa dun'é un smak refreskante.

Tuna

Het verschil met de Spaanse juffer is direct te zien: de schijven zijn veel groter en hebben een veel donkerder kleur. De cactus kan uitgroeien tot een plant van 4 m. hoog. De doornen zijn bruin, ook een opvallend verschilpunt. Deze cactus bloeit overdag met donkergele tot zalmkleurige bloemen. De vrucht is donkerrood en bijna rond. Vaak is van de bloem niet veel meer te zien omdat hagedissen er verzot op zijn. Zo gauw een bloem uitkomt wordt hij al opgegeten door een blou-blou (de blauwgroene hagedis met witte stippen). Schijfjes van deze cactus werden in het drinkwater gelegd om het een frisse smaak te geven.

French prickle

The difference with the Prickly pear is easy to observe: the segments are very much larger and have a darker colour. This cactus may grow up to 4 m tall. The spines are brown, also an easy distinguishing characteristic. It also is a diurnal bloomer with dark yellow to salmon coloured flowers. The fruit is dark red and almost round. One does not get to see the flowers very often as lizards seem to be addicted to them. As soon as a flower opens it will usually be eaten by one of the large blue lizards we have on our islands. Formerly, thin slices of this cactus were put into the water to give it a fresh taste.

Oliba, Huliba
Capparis odoratissima

Oliba ta un di e poko palunan ku tin blachi henter aña, loke ta hasié mashá apropiá pa tin den kurá. Tòg poko hende ta plant'é. Su stam ta koló pretu i su blachinan tin forma oblongo, koló bèrdè lombrá parti ariba i maron shinishi parti abou. Su flornan ta krese na tròshi. Ora nan kaba di habri nan ta blanku, despues nan ta tòrna lila pa püs. Su fruta ta mashá dekorativo. Nan parse un simpel baliña koló maron, pero ora nan baster habri, nan paden ta lusi un bunita koló oraño bibu. E palu akí ta un adorno pa kualke kurá. Tin un otro palu ku pars'é mashá: Palu pretu (*C. indica*). Pero su blachinan no ta lombra parti ariba. E ta floria abundante ku flor blanku ku ta hole dushi. Su baliñanan ta segmentá, loke ta duna nan aspekto di un koyar.

Oliba

Dit is een van de weinige bomen die het gehele jaar door blad blijven dragen. Hij zou dus bijzonder geschikt zijn voor tuinen, maar er zijn toch weinig mensen die hem aanplanten. De stam is zwart gekleurd en de takken dragen langwerpige bladeren die aan de onderkant grijsachtig bruin zijn en aan de bovenkant glanzend groen. De bloemen zitten in trosjes bij elkaar. Ze zijn eerst wit en verkleuren daarna tot lila of paars. De vruchten zijn zeer decoratief want ze zien eruit als lange bruine peulen. Als ze openbarsten is de binnenkant echter fel oranjerood. Kortom, een boom die elke tuin zou sieren.

De Palu pretu (*C. indica*) lijkt veel op deze boom maar de bladeren zijn aan de bovenkant dof donkergroen inplaats van glanzend. Hij bloeit uitbundig met geurige witte bloemen. De peulen vertonen insnoeringen zodat ze er bobbelig uitzien.

Black willow, Olive wood

This tree is one of the evergreens we have here and it would be an excellent tree for the garden but it is cultivated very rarely. The trunk is black and the branches have oblong leaves which are greyish brown underneath and shiny green above. The flowers grow in tight bunches. When they open they are white and change later to a lilac or purplish colour. The fruits are very decorative too. They look like simple brown pods but when they burst open they show their bright orange-red insides. This tree would grace any garden.

The White willow (*C. indica*) is a look-alike but the leaves instead of being a shiny green have rather a dull dark green colour. It blooms abundantly with fragrant white flowers. The pods have a more lumpy appearance than the ones from the Black willow.

Mangel, Fofotí

Conocarpus erectus

Nan sa yama e palu akí Mangel blanku tambe. Esaki por trese konfushon, pasobra e no ta un mangel di bèrdat i tin un mangel di bèrdat ku tambe yama Mangel blanku. Ounke Mangel no ta un mangel di bèrdat, e tambe ta krese den área salu kantu di bénewater. Su lugá preferí ta mas tera aden sí, kaminda tera ta mas haltu i mas seku. E no tin rais aéreo manera mangelnan di bèrdat, pasobra e partinan kaminda e ta krese no ta bou di awa kontinuamente. Su blachinan ta oblongo, puntá, koló bèrdè lombrá. E ta saka flor blanku ku ta krese na tròshi forma di bola na punta di e takinan. Ora e kaba di floria e tròshi di flor ta bira un bola maron.

Grijze mangel

Deze boom wordt ook wel eens Mangel blanku genoemd maar dat zou verwarring op kunnen leveren met een mangrove-soort die ook zo genoemd wordt. Deze Mangel hoort bij de randbegroeiing van de binnenbaaien waar we ook de mangroves aantreffen. De Mangel groeit dan meer achter de mangroverand waar de grond alweer iets hoger en droger is. Hij kan dus zeer goed tegen veel zout in de bodem. Omdat de grond daar niet voortdurend onder water staat, heeft deze boom ook geen luchtwortels nodig zoals de echte mangroves. De bladeren zijn langwerpig, spits en fris groen. De groengele bloemetjes staan in bolletjes aan het eind van de takken. De vruchtjes vormen na de bloei samen een bruin bolletje.

Buttonwood, Button mangrove

Sometimes this tree is referred to as the White mangrove but this may lead to confusion with a real species of mangrove which is known by this name. This tree does belong to the zone vegetation which grows along the edges of the inner bays. However, it grows more at the landward side, behind the area where the real mangroves have their habitat. The ground there is a bit higher and drier too. It is very resistant to the high salinity of the ground water. As at these sites the ground is not inundated all the time, this tree does not need aerial roots like the mangroves do. The leaves are oblong, pointed and shiny green. The yellowish flowers grow together in small sphere-like clusters at the end of the twigs. After flowering the fruits also form small brown balls.

Yerba di glas, Yerba di paskua
Ipomoea incarnata

Yerba di glas ta miembro di un famia ekstenso di mata loradó, es desir, mata ku ta lora rònt di otro mata pa krese bai laria. Na nos islanan mata loradó ta sprùit despues di un bon yobida. Nan ta krese lihé i por tapa otro mata i asta palu kompletamente den poko tempu. Nan ta floria, traha simia i muri den un lapso di tempu kòrtiku. Ora awa kai atrobe nan ta bolbe sprùit. Batata dushi (*I. batatas*) ta pertenesé na e famia akí.

Yerba di glas ta un di e mata loradónan mas komun. Su blachinan tin forma di spada di bará di karta. E ta floria abundante ku flor lila pa püs, forma di trompèt. Nan ta habri mainta tempran i pa dies or ya nan ta kuminsá marchitá kaba. E siguiente tanda ta habri su mainta atrobe.

Un famia di aserka ta Trompèt (*I. nil*). Esaki su blachinan tin rant di tres lòpchi i nan ta kubrí ku kabei suave. Su flornan ta blou kla pa blanku i nan tin forma di trompèt.

Kabuya di yuana (*I. turbinata*) tin blachi forma di kurason i flor grandi lila kla forma di trompèt. Nan ta habri anochi. Su strèn tin manera sumpiña moli.

Yerba di glas

Dit is een lid van een uitgebreide familie van windes, d.w.z. planten die in andere planten omhoog groeien. Al deze windes zie je eigenlijk alleen maar als het een keer goed heeft geregend. Ze groeien dan heel snel en kunnen struiken en zelfs bomen totaal overwoekeren. Ze bloeien, maken zaad en daarna sterven ze ook weer snel af. Pas bij een volgende regenperiode gaan de zaden weer ontkiemen. De zoete aardappel (*I. batatas*) behoort tot deze familie.

De Yerba di glas is een van de meest voorkomende windes. De bladeren lijken op de "schoppen"-vorm van het kaartspel. Hij bloeit uitbundig met trompetvormige lila tot paarse bloemen. Meestal beginnen deze bloemen al na 10 uur in de ochtend weer te verwelken en de volgende bloemen gaan pas de volgende dag open.

Een naast familielid is de Trompet (*I. nil*) met zachtharige, drie-lobbige bladeren. Deze heeft lichtblauwe tot witte trompetvormige bloemen. De Kabuya di yuana (*I. turbinata*) heeft bladeren die lijken op de "harten" uit het kaartspel en hij heeft grote trompetvormig lichtpaarse bloemen die 's nachts open gaan. Bovendien heeft hij weke stekelvormige uitgroeiingen op de stengels.

Morning glory

This is a member of an extensive family of vines, i.e. plants which creep up into other plants. On our islands these vines manifest themselves only after a reasonable amount of rainfall. Once they sprout however, they grow very quickly and in almost no time may cover shrubs and even trees completely. They flower, produce seeds and subsequently die off again all in a very short timespan as they are dependent upon sufficient rainfall. The seeds will wait for the next rainy period to sprout. The sweet potato (*I. batatas*) belongs to this family too.

The Morning glory is the most common one. The leaves resemble the "spades" from a deck of cards. Following a rainfall it will bloom abundantly with funnel-shaped lilac to violet flowers. The flowers open early in the morning and very often start to close again at 10 a.m. The next bunch of flowers will open the next morning.

A close family member is the Blue morning glory (*I. nil*) with soft hairy, three-lobed leaves. It has light blue to white trumpet-shaped flowers. The leaves of the Lilac bell (*I. turbinata*) represent the "hearts" from the deck of cards and it shows rather large trumpet-shaped light violet flowers which open at night. The stem shows fleshy green protuberances.

Kònkòmber shimaron

Cucumis dipsaceus

Kònkòmber shimaron ta miembro di e famia na kua e.o. patia, milon, pampuna i kònkòmber chikí tambe ta pertenesé. Su strèn ta lastra i e ta angular i gròf. Su blachinan ta kasi rondó i nan tambe tin kabei gròf. E ta un mata monoiko, loke ta nifiká ku e tin tantu flor femenino komo maskulino na e mesun mata. Su flornan ta hel. Por distinguí e flor muhénan na nan ovario forma di kartucha bou di e flor. Despues di su polinisashon i fertilisashon e ta krese bira un kònkòmber chikitu, oval yen di kabei spiña diki hel. No por kom'é.

Wilde komkommer

Tot de familie van deze wilde komkommer behoren ook de watermeloen (patia), de suikermeloen (milon), de pompoen (pampuna) en natuurlijk de Curaçaose komkommer (kònkòmber chikí). De wilde komkommer heeft kantige, ruwe stengels die over de grond kruipen. Ook de bijna ronde bladeren zijn ruw behaard. De plant heeft aparte mannelijke en vrouwelijke bloemen. Omdat deze wel op dezelfde plant groeien, noemen we zo'n plant eenhuizig. De bloempjes zijn geel. Je kunt zien welke de vrouwelijke bloempjes zijn doordat deze al een spoelvormig vruchtbeginsel onder de bloem hebben zitten. Na de bestuiving en bevruchting groeit deze uit tot het bekende ovale komkommertje dat dicht bezet is met dikke, gele stijve haren. Deze komkommer is niet eetbaar.

Wild cucumber

To the family of this wild cucumber pertain also the watermelon, canteloup, the pumpkin and of course the Curaçao cucumber. The wild cucumber has angular, rough stems which stay close to the ground. The almost round leaves carry short stiff hairs too.

Male and female flowers are separate but do grow on the same plant. Both types of flowers are yellow but the female ones show a spindle-like ovary underneath the petals. After pollination and fertilization the ovary will grow out to a small oval cucumber covered with thick, stiff, yellow hairs. This cucumber is not edible.

Hilu di diabel, Amor di neger, Aletria di mondi
Cuscuta americana

Despues di tempu di áwaseru tin mata ta keda kubrí ku un nèt di hilu oraño. E nèt ei ta un mata ku yama Hilu di diabel. E no tin blachi i pa nutri su mes e ta bora su rais den taki o strèn di otro mata pa chupa e nutrishon ku e tin mester. Mata ku ta biba a kosto di otro mata, yama parasit. E mata nutridó por pèrdè asina tantu nutrishon ku e ta muri. Ta mashá difísil eliminá Hilu di diabel. Semper ta keda pida rais den taki di e mata nutridó i nan ta sprùit bira mata mashá lihé atrobe. E mihó manera pa elimin'é ta pa kòrta e takinan afektá tira afó. Hilu di diabel ta produsí flor chikitu blanku ku ta krese na tròshi. E simianan ta pegapega. Para ta kome nan i nan ta keda pega na nan pik. Pa kita nan, nan ta frega nan pik na otro taki o mata i di e manera ei nan ta plama e simianan rònt. Antes mucha tabata sa tira un strèn di Hilu di diabel riba un Wabi o Dividivi. Si e keda pega, e mucha ku a tir'é su amor ta korespondé. E wega akí sin duda tabata duna motibu pa hopi tentamentu.

Duivelsnaaigaren, Vissersnaaigaren

Na de regentijd zijn sommige struiken helemaal bedekt met een oranje wirwar van draden. Dit is het Duivelsnaaigaren. Deze plant heeft zelf geen bladgroen en om te leven boort hij zijn wortels in de takken of stengels van andere planten en zuigt daar de sappen uit die hij nodig heeft. Zo'n plant die ten koste van een andere plant leeft, heet een parasiet. De gastheer-plant kan hierdoor zoveel voedingsstoffen verliezen dat hij uiteindelijk sterft. Dit Duivelsnaaigaren is bijzonder moeilijk te verwijderen. Er blijven altijd worteltjes in de takken van de gastheer zitten en deze groeien snel uit tot een nieuwe plant. De beste manier om hem kwijt te raken is door de aangetaste takken zonder meer af te snijden en weg te gooien. Het Duivelsnaaigaren produceert hele kleine witte bloempjes die in groepjes bij elkaar staan. De zaadjes zijn kleverig en de plant verspreidt zich waarschijnlijk doordat de zaden aan de snavels van vogels blijven kleven die ze dan aan een andere tak weer afvegen. Vroeger gooiden kinderen een sliert van het Duivelsnaaigaren op een wabi- of dividivistruik. Als de sliert bleef kleven dan wist de betreffende jongen of meisje dat zijn of haar "liefde" beantwoord werd. Natuurlijk een uitstekend spelletje om elkaar flink mee te plagen.

Love vine, Yellow dod

After the rainy season you will notice bushes which are covered with a network of orange threads. This is the Love vine. As the plant itself does not have chlorophyll its roots grow into the branches or stems of other plants and suck out the juices it needs. Such a plant which extracts its food from other plants is called a parasite. The host-plant may lose so much of its own food that it may well die. The Love vine is very difficult to remove once it has settled upon a plant. When removing it, tiny roots will stay behind and sprout anew. The only thing one can do is to remove all the branches which carry this pest.

The Love vine does produce small white flowers which grow in little bunches together. The seeds are sticky and when they attach themselves to the beak of some bird, the latter will try to remove it by rubbing its beak against another branch. In this way the seeds are being transferred from one plant to another.

In former times children used to throw strings of the Love vine on a cossie or dividivi-tree. If it stuck, the boy or girl knew that his or her love was being answered. Of course, taunting each other was part of the game!

Káktùs sürnam

Euphorbia lactea

En realidat no por yama e mata akí káktùs, pasobra e ta pertenesé na un otro famia di mata. Ademas e tin lechi, loke káktùs di bèrdè no tin. Pero pasobra e tin sumpiña i su brasanan tin tres repchi i nan ta karnoso, tur hende ta yam'é káktùs. Debí na su ramifikashon ekstenso e ta haña aspekto di un palu. Ta plant'é pa forma tranké impenetrable. Su lechi ta dañino: e ta iritá kueru i wowo. Si e bai den bo wowo, laba nan ku hopi awa promé i bai dòkter despues. Semper Káktùs sürnam ta yen di yuana. Nan ta skonde den e masa será di e brasanan, kaminda nan ta práktikamente invisibel. Káktùs sürnam ta un mata kultivá, pero sa haña nan tambe aki i aya den mondi di plantashi bieu.

Surinaamse cactus

Deze plant mag eigenlijk geen cactus worden genoemd want hij hoort bij een heel andere familie. Bovendien heeft hij melksap en dat hebben echte cactussen nooit. Maar omdat hij doornen heeft en omdat de takken driekantig en dik vlezig zijn, noemt iedereen hem toch een cactus. Door de vele vertakkingen die hij maakt, vormt hij als het ware bomen. Hij wordt dan ook voornamelijk aangeplant om werkelijk ondoordringbare hagen te maken. Het melksap is gevaarlijk; op de huid kan het irriteren en als het in de ogen komt, bijt het gemeen. De ogen dan direct uitspoelen en een bezoekje aan de dokter is in zo'n geval aan te raden. De Surinaamse cactus is een geliefde woonplaats voor leguanen. Ze verbergen zich tussen de dichte takkenmassa en zijn dan praktisch onzichtbaar. De Káktùs sürnam is vooral aangeplant, maar in de buurt van oude plantages treft men ook verwilderde exemplaren aan.

Monkey puzzle euphorbia

It looks like a cactus, it feels like a cactus and yet it is not a cactus. This plant actually belongs to the same family as the Poinsettia and the Crown of thorns. Like these it contains a milky sap which real cacti never have. However, as it has spines, triangular branches and a fleshy appearance, it is commonly called a cactus. The numerous branches it grows make it even a real cactus-tree! It is mainly used to make fences which indeed are impenetrable. The sap has toxic properties; it may irritate the skin and if you get it into your eyes it hurts terribly. You should wash out your eyes immediately and consult a physician. The iguanas love to live between the convoluted branches. They hide in the innermost parts of the tree and are then all but invisible. The plant is cultivated but has run wild on some old plantations.

Welensali, Weleskali
Croton flavens

E nòmber Welensali ta un deformashon di "Wilde salie", un mata ku ta krese na Hulanda, ounke nan no ta mes mata sí. Welensali ta un di e yerba medisinalnan mas uzá. E no ta krese masha haltu, su blachinan ta tur na kabei, loke ta dun'é un aspekto shinishi. E blachinan mas bieu ta haña un koló oraño intenso. Welensali tin un holó masha típiko ku ta bira mas intenso ora machiká un blachi. E ta saka flor chikitu blanku na un tròshi largu. Parti abou di e tròshi tin algun flor femenino, tur sobrá ta maskulino. E tròshi ta floria di abou bai ariba. Pues e flor femeninonan ta floria promé ku esnan maskulino. Ora esakinan floria, ya esnan femenino a wòrdu fertilisá ku pólen di otro mata kaba, evitando di e manera ei ku e mata ta fertilisá su mes. Meskos ku endogamia (ora famia ku famia haña yu ku otro) ta suak desendensia di hende i bestia, e por suak mata tambe. Antes tabata trèk yerba ku e blachi helnan pa aliviá doló di barika i kram i pa baha keintura. Investigashon sientífiko a demostrá ku tin sierto supstanshanan karsinogéniko den Welensali. Asta ta asina ku nan ta kere ku e echo ku ta bebe yerba di Welensali hopi na nos islanan por ta splikashon pa e frekuensia haltu di kanser na garganta akinan. Tabata tira e blachi bèrdènan den awa pa laba kos.

Wilde salie

De Papiamentse naam is eigenlijk een verbastering van het Nederlandse "Wilde salie", hoewel dit een heel andere plant is. Het is een lage struik waarvan de bladeren dicht behaard zijn. De bladeren maken daardoor een grijzige indruk. Oude bladeren verkleuren vaak tot diep oranje. De plant heeft een zeer typische geur, vooral opvallend als je de bladeren een beetje kneust. Hij bloeit met vele kleine witte bloemetjes die in een lange tros staan. Onderaan in deze tros vind je enkele vrouwelijke bloempjes, daarboven zijn ze allemaal mannelijk. De tros begint van onderen af te bloeien. Als de mannelijke bloemen gaan bloeien, zijn de vrouwelijke al bevrucht door stuifmeel van andere planten en zo wordt voorkomen dat de plant zich zelf bevrucht. Net zo als bij dieren (en mensen) inteelt leidt tot verzwakking van het nageslacht, kan ook bij planten zelfbevruchting nadelig zijn.

Op onze eilanden is de Welensali een van de meest gebruikte geneeskrachtige planten. Van de gele bladeren werd vroeger een thee getrokken die zou helpen tegen buikpijn, koorts en krampen. Onderzoek heeft echter uitgewezen dat er bepaalde kankerverwekkende stoffen in de Welensali voorkomen. Er is zelfs wel eens verband gelegd tussen het grote aantal gevallen van keelkanker dat op onze eilanden voorkomt en het drinken van veel welensali-thee. De groene bladeren werden vroeger wel gebruikt in het afwaswater voor de vaat.

Rock sage

This is one of the best known plants from our islands, especially because of its widespread use as a medicinal herb. It is a low bush with leaves covered with short hairs. Therefore, the leaves make a silverish grey impression with older leaves often turning into a deep orange. It has quite a characteristic smell which becomes more pronounced when bruising a leaf. The small white flowers form an outstretched bunch; the lower flowers are female and the ones higher up male. The flowering starts from below, so when the male flowers bloom, the female flowers have been fertilized already by pollen from other plants and this tactic prevents self-fertilization. Just as with animals (and people) incest leads to a weakening of the progeny, self-fertilization can be disadvantageous to plants too.

From the yellow leaves of the Wild sage a tea was made formerly which would prevent stomach aches, fever and cramps. However, research has shown that the Wild sage contains some carcinogenous substances. The extensive use of tea from this plant has been implied in explaining the high incidence of throat cancer on our islands. The green leaves were used for washing the dishes.

Manzaliña

Hippomane mancinella

E palu akí tin mal fama, pasobra su blachi, kaska i fruta sa kousa blar i iritashon di kueru. Su stam ta lizu, koló shinishi. Su blachinan ta elíptiko, koló bèrdè lombrá parti ariba. Su flornan ta uniseksual, koló bèrdè i nan ta krese den forma di tapushi. E frutanan parse apel chikí bèrdè. E kapa di was ku ta pone e blachi i frutanan lombra ta kontené un supstansha ku ta iritá kueru. Ora áwaseru kuminsá kai, no skonde bou di manzaliña, pasobra asta e awa ku lèk for di e blachinan por saka blar riba bo kueru. No uza palu di Manzaliña pa sende barbekiú na playa, pasobra e huma por iritá wowo i kueru di hende. No mishi ku e frutanan tampoko, pasobra despues sin pensa bo por pasa man na wowo pone nan kima pisá. Tur e kosnan akí ta pasa ku frekuensia, pasobra Manzaliña ta un di e poko palunan ku ta krese kant'i playa. Ora awa no ta kai, e ta bon pa wanta solo, pero no lèn kontra dje sí! Antes nan tabata kima kalki, meskl'é ku awa pa blancha span di dak. Pa e spannan no haña komehein, nan tabata uza palu di Manzaliña pa kima e kalki.

Manzaliña

Deze boom heeft een zeer slechte naam gekregen doordat aanraking met de bladeren, de bast of de vruchten vervelende blaartjes op de huid kan veroorzaken. De boom heeft een vrij gladde, grijze stam. De bladeren zijn ellipsvormig en van boven glanzend groen. De groene, eenslachtige bloempjes staan in een soort aar. De vruchten zien eruit als kleine groene appeltjes. Het schijnt dat de waslaag waardoor de bladeren en vruchten zo glimmend zijn, een substantie bevat die de huid irriteert. Wie bij een beginnende regenbui onder een Manzaliña gaat schuilen heeft pech. Zelfs het water dat van de bladeren afdruipt trekt blaren op de huid. Als je een barbecue houdt op het strand, moet je daar ook zeker geen Manzaliñahout voor gebruiken want de rook brandt in je ogen en kan ook je huid irriteren. Raap de appeltjes ook niet op. Als je daarna per ongeluk met je vingers in je ogen wrijft, veroorzaakt dit een brandende pijn. Al deze dingen gebeuren nogal eens omdat de Manzaliña een van de bomen is die op het strand kunnen groeien. Als het niet regent is het een goede schaduwboom, maar ga vooral niet met de blote huid tegen de stam aan zitten!

Vroeger brandde men kalk en vermengde dit met water om witsel te krijgen voor de dakspanten. Als er Manzaliñahout gebruikt werd bij het branden werden de witgekalkte spanten niet aangetast door termieten!

Manchineel tree, Poison apple

This tree has quite a bad name because the leaves, the bark and the fruits can cause a bad rash on the skin. The tree has a smooth grey trunk. The leaves are elliptical and the upper side is shiny green. The green male and female flowers grow in a kind of ear. The fruits look like small green apples. The irritating substance seems to be part of the layer of wax which gives the leaves and fruits their shiny appearance. If it starts raining and you decide to seek cover under a manchineel tree, even the water which drips off the leaves onto your skin may cause small blisters. When barbecueing on the beach never use wood from this tree because the fumes hurt the eyes and may cause skin irritation. Also, never pick up the green apples. When, after touching them you accidently rub your eyes, the wax on your fingers will cause a fiercely burning sensation. All these things are apt to occur as this is one of the few trees which grow at beaches. Besides, it is an ideal tree to seek a bit of cover from the sun, but beware! Do not lean your bare back against the trunk!

In former days they used to burn lime and mix it with water to whitewash the roofbeams. They would use wood of the manchineel tree for the burning as the whitewash would repel termites.

Flaira, Tuatua, Seida
Jatropha gossypiifolia

Flaira ku Bringamosa gusta krese banda di otro. Ademas nan parse otro tambe. Flaira ta un mata ku ta krese règt bai ariba, kasi semper e tin ún strèn prinsipal. Su blachinan ta suave, ku rant di lòpchi hundu i nan tin manera un refleho püs ku nan. Nan stelchi ta largu, tur na kabei, meskos ku rant di e blachinan. E tin flor maskulino i femenino koló püs skur pa püs maron ku ta krese den forma di paraplü.

Ta atribuí hopi kalidat medisinal na e mata akí. Tabata uz'é pa kanser, doló di barika, doló di garganta, iritashon ora oriná, pa kura herida, etc. Pa aliviá soyá di Bringamosa, tabata frega e soyá ku blachi di Flaira.

Mester bai ku kuidou ora ta uza Flaira, pasobra su lechi ta venenoso i su rais ta kontené yatrofine, un alkaloide mashá venenoso.

Flaira

Je vindt de Flaira en de Bringamosa vaak dicht bij elkaar. Ze lijken ook wel iets op elkaar. De Flaira is een rechtop groeiende heester, meestal met een duidelijke, rechte hoofdstengel. De gladde, diep ingesneden bladeren staan op lange bladstelen en hebben vaak een paarsachtige weerschijn. De bladsteel en de bladrand hebben haren. De bloempjes vormen kleine schermen. Ook hier hebben we aparte mannelijke en vrouwelijke bloemen die donkerpaars tot bruinpaars van kleur zijn.

Aan deze plant worden veel medicinale eigenschappen toegeschreven. Zo werd hij gebruikt tegen kanker, bij wonden, bij irritatie tijdens het urineren, tegen keelpijn, tegen buikpijn enz. Als je door de Bringamosa bent geprikt moet je blaadjes van de Flaira op de zere plek wrijven. Men zegt dat de pijn dan over gaat. Je moet echter voorzichtig zijn bij gebruik van deze plant want het sap is giftig. De wortel bevat zelfs het zeer giftige jatrophine, een alkaloïde.

Wild physic nut, Belly ache bush

This plant and the Devil nettle often grow together and are quite similar in appearance. The Wild physic nut is a straight upright growing bush, most often with one principal stem. The smooth leaves on long stems are deeply lobed and often have a purplish hue. The leaf stems and leaf edges carry many hairs. The small male and female flowers grow in little umbels and their colour variates from dark to brownish purple.

Many medicinal qualities have been attributed to this plant. It has been used against cancer, stomach aches, sore throat, urinary irritations and to cure wounds. If one gets stung by the Devil nettle all one has to do is rub a leaf of the Wild physic nut over the painful spot and the pain will go away, or so they say. However, one should be careful when using this plant because its sap is toxic. The root even contains a powerful alkaloid: jatrophine.

Bringamosa
Cnidoscolus urens

Na tur idioma su nòmber ta atvertí pa no mishi kuné. Na latin *urens* ke men "ku ta kima" i na ingles i hulandes tambe su nòmber ta papia lenga kla. Bringamosa tin ún strèn prinsipal ku ta krese règt bai ariba. Su blachinan tin lòpchi hundu. Henter e mata (strèn, blachi i asta kèlki di e flor) ta tur na kabei ku ta kousa iritashon. Ora mishi ku e kabeinan, nan ta produsí un supstansha ku ta kima kueru. Bringamosa ta kima muchu mas ku su variante oropeo. Si un Bringamosa mester kimabo, frega e kimá suavemente ku un blachi di Flaira. Pa suerte kasi semper e dos matanan akí ta krese banda di otro. Flor di Bringamosa ta blanku, uniseksual i nan ta krese den forma di paraplü.

Bringamosa

In alle talen waarschuwt deze plant al met zijn eigen naam tegen aanraking. "Bringa" betekent vechten en "mosa" is meisje. Het Latijnse *urens* betekent brandend, en ook de Engelse naam laat niets aan duidelijkheid te wensen over. Deze plant is een rechtop groeiende heester met een duidelijke hoofdstengel en heeft diep ingesneden bladeren. De hele plant, stengel, bladeren en zelfs de kelk van de bloem is bezet met brandharen. Bij aanraking geven deze een stof af die de huid gemeen doet branden, veel erger dan de Nederlandse brandnetels. Als dit je overkomt moet je snel die plek inwrijven met een blaadje van de Flaira. Gelukkig groeien deze twee planten vaak samen. De bloemen van de Bringamosa zijn wit, eenslachtig en ze vormen kleine schermen.

Devil nettle

In Papiamentu this plant is called "fighting girl" and the Latin *urens* means "burning". The English name speaks for itself; warning enough to avoid this plant. The plant shows a clear principal stem which grows straight upright. The leaves are deeply lobed and the whole of the plant is covered with long stinging hairs. At the slightest touch these hairs secrete a substance which causes a painful burning sensation, much worse than the European stinging nettle. If this happens to you, quickly apply a leaf of the Wild physic nut to the spot. It is a lucky circumstance that often these two plants are found close together. The flowers of the Devil nettle are white and they are made up of separate male and female flowers which grow in small umbels.

Karpata
Ricinus communis

Karpata ta originalmente di Afrika, pero pasobra su bonchinan ta produsí e famoso "castor oil" (zeta di karpata) a kultiv'é rònt mundu. Na nos islanan e ta ehèmpel di un mata kultivá ku a bira mata di mondi. E ta un mata ku ta krese règt bai ariba. Su blachinan tin lòpchi hundu i nan tin stelchi largu ku ta krese for di e strèn. E tin flor femenino i maskulino ku ta krese manera un kono riba e strèn. Nan ta koló hel. Esnan femenino ta krese parti ariba di e kono i esnan maskulino parti abou. Di e manera akí e flor maskulinonan no por laga pólen kai riba esnan femenino, previniendo asina outopolinisashon. E simianan ta krese den bola bèrdè, gròf i nan parse karpata, loke sin duda a duna e mata akí su nòmber. E simianan ta produsí zeta di karpata ku ta uza komo prugashi pa limpia tripa. Ta uz'é tambe pa zeta di lampi i komo base pa zeta di gris, pasobra e no ta kuaha, ni na temperatura hopi abou. Pa doló di djente i doló di pia i brasa ta uza e blachinan.

Castorboon, Wonderolieboom

Dit is een voorbeeld van een plant die aanvankelijk gekweekt werd maar nu verwilderd is. Oorspronkelijk hoort de plant thuis in Afrika. Omdat de bonen echter de bekende castorolie leveren is deze plant in veel landen gekweekt. Het is een rechtopstaande struikachtige plant. De diep ingesneden bladeren staan op lange stelen van de stengel af. De bloemen zijn gelig en in de kegelvormige bloeipluim staan de mannelijke bloemen onderaan en de vrouwelijke bovenaan. Zo wordt vermeden dat er stuifmeel van de mannelijke bloemen op de vrouwelijke bloemen valt, zodat er geen zelfbestuiving optreedt. De zaden zitten in groene ruwe bolletjes en zien eruit als teken (= karpata). Uit de zaden kan de castorolie gehaald worden, die vooral gebruikt wordt als laxeermiddel om de darmen schoon te spoelen. De olie wordt ook gebruikt als grondstof voor smeerolie omdat hij bij lage temperaturen goed vloeibaar blijft. Bovendien is de olie geschikt als lampolie. De bladeren worden wel gebruikt om pijn in armen, benen en in tanden tegen te gaan.

Castor bean

This plant originates from Africa. However, as the beans produce the well-known castor oil, it has been cultivated in many countries and thus has spread far and wide. On our islands it has run wild. The deeply lobed leaves grow on long stems from the main stem, forming a tall growing bush. The flowers are yellowish and grow in a cone shaped plume on top of the stem. The male flowers grow below, with the female ones in the top of the cone. In this way pollen of the male flowers can not reach the female ones so self-fertilization is prevented. The seed pods are green and round. The seeds look like dog-ticks, hence the Papiamentu name (karpata = tick). The seeds produce the castor oil which is a strong laxative, used to clean the bowels. The oil also is useful as a base for lubricating oil as it stays fluid in quite low temperatures. The oil can also be used as lamp oil. The leaves are used against pains in the arms, legs and teeth.

Dividivi, Watapana
Caesalpinia coriaria

Awendia kasi tur palu ku korona ku ta krese skeins, nan ta yama Dividivi. E konfushon akí ta komprendibel pasobra tur palu ku blachi ku struktura di pluma parse otro. Dividivi su karakterístikanan ta blachi bèrdè ku struktura di pluma, flor blanku chikí pegá pegá riba otro i baliña doblá, koló maron skur. Antes tabata kosechá e baliñanan, pasobra nan ta kontené tanino, un supstansha ku ta uza pa kurti kueru. Den siglo 19 tabata eksportá kantidat grandi di e baliñanan akí pa Hulanda i Inglatera. Invento di un produkto artifisial pa kurti kueru a pone fin na e komèrsio akí. Na Aruba ta eksistí e kreensia ku si un hende pega soño bou di un Dividivi, e no por lanta fo'i soño e mes; un otro hende mester lant'é. E echo ku korona di Dividivi ta krese skeins ta pasobra riba nos islanan bientu semper bai ta supla di mésun direkshon. E takinan na banda di bientu ta krese ménos i ta seka mas lihé ku esnan di e otro banda, di manera ku a la largu e palu ta krese di un banda so. E fenómeno akí no ta konta pa Dividivi so, sino pa tur palu ku ta krese den bientu.

Dividivi, Waaiboom

Tegenwoordig wordt bijna elke boom die een door de wind scheef gegroeide kroon heeft, een Dividivi genoemd. De verwarring is misschien te verklaren door het feit dat voor de oppervlakkige beschouwer al die bomen met geveerde bladeren (Wabi, Indju, Dividivi) op elkaar lijken. Kenmerken van de Dividivi zijn donkergroene geveerde bladeren, kleine witte bloemen die op elkaar gedrongen zitten en donkerbruine, sterk gekromde peulen. Deze peulen werden vroeger geoogst omdat ze looistof (tannine) bevatten waarmee leer werd gelooid. In de 19e eeuw werden grote hoeveelheden van deze peulen uitgevoerd, vooral naar Engeland en Nederland. Toen er echter een andere, kunstmatig te maken looistof werd ontdekt, was het gedaan met deze handel. Op Aruba heerste het geloof dat iemand die onder een Dividivi in slaap viel, niet uit zichzelf wakker kon worden. Iemand anders moest hem dan wakker maken. De typische scheefgegroeide kroon krijgt de boom doordat de wind op onze eilanden bijna altijd uit één richting waait. De takken aan de windkant van de boom groeien minder en drogen sneller uit zodat de boom op het laatst alleen nog maar aan de luwtekant groeit. Dit verschijnsel zie je echter niet alleen bij de Dividivi maar ook bij andere bomen die op de wind staan.

Divi-divi

Nowadays almost every tree with a slanting crown is being called a Divi-divi tree. The confusion is caused as for some people it is difficult to distinguish between "all those trees with pinnated leaves" (i.e. Cossie, Mesquite and Divi-divi). The Divi-divi is characterized by dark green, finely pinnated leaves, small white flowers in tight bunches and dark brown, strongly curved pods. In former times these pods were harvested because they contained tannin which was used for tanning leather. In the 19th century large quantities of these pods were shipped to other countries, especially to England and Holland. This trade stopped however, when another, artificially made tanning substance was discovered. On Aruba it was believed that a person sleeping under a Divi-divi tree could not awaken by himself; he had to be awakened by someone else. The typical lopsided crown is caused by the wind which almost always blows from the same direction. The branches at the windside grow less and eventually shrivel so that ultimately the tree grows only at the leeward side. However, not only the Divi-divi shows this phenomenon; other trees which grow on windy sites show the same one sided growth.

Balor di yònkuman, Bunitesa di yònkuman, Kandela di pasku, Papurèshi

Senna alata

E mata akí ta krese spesialmente kant'i kaminda. E ta hala atenshon solamente despues di tempu di áwaseru, ora ku den un tempu kòrtiku e desaroyá blachi i flor. Su blachinan tin struktura di pluma i nan ta koló bèrdè skur. Su flornan ta sali manera flambeu hel for di e masa di blachi. Kada flambeu ta konsistí di un kantidat grandi di flor koló hel. E ta un mata sumamente dekorativo, pero ora tempu di sekura drenta, e ta disparsé lihé atrobe. No ranka nan pa planta den kurá, pasobra nan no ta pega. Mester kultivá nan for di simia. Su bonchinan tin dos ala ku rant di skama. Antes tabata garna e blachinan pa kura tur sorto di enfermedat di kueru (weta su nòmber na ingles). Tabata uza pulpa di e simianan pa laba tripa. Komokiera ku e simianan mes ta venenu, mester paga tinu pa no kushi nan huntu ku e pulpa.

Balor di yònkuman

Deze struik ziet men vooral langs de kant van de weg. Hij valt alleen op na een regenperiode als hij in snel tempo bladeren en bloemen gaat vormen. De bladeren zijn donkergroen en geveerd. De bloemen steken dan als gele toortsen boven de bladermassa uit. Elke toorts bestaat uit een groot aantal goudgele bloemen. Het is een bijzonder decoratieve plant, maar als de droge tijd aanbreekt, verdwijnt hij ook weer snel.

Het is niet aan te raden om planten uit de grond te trekken om eventueel in de tuin te zetten want dat overleven ze niet. Beter is het om zaad te verzamelen en de plant hieruit op te kweken. De peulen hebben twee vleugels met gekartelde rand. De fijngewreven bladeren werden wel gebruikt tegen allerlei huidziekten (zie ook de Engelse naam). Het zaadpulp diende vooral om de darmen schoon te spoelen. De zaden zelf zijn echter giftig en mogen niet met de pulp meegekookt worden.

Ringworm shrub, Candlebush

This bush can be found especially along the sides of the road. It is only conspicuous after a period of rainfall when it grows leaves and flowers rapidly. The leaves are dark green and pinnated. The flowers protrude like yellow candles above the mass of leaves. Every "candle" consists of a large number of golden yellow flowers. The plant is highly decorative, but once the rains stop, it disappears rather fast.

One should not pull up the plant to put it in the garden as the roots are easily damaged and the plant will not survive. A better way is to gather some seeds and cultivate these. The pods have two wings with a milled edge. The crushed leaves were used against all kinds of skin diseases (hence the English name). The pulp of the seed pods was used as a laxative. As the seeds themselves are poisonous, the pulp should be removed by hand, not by cooking.

Bonchi di kabai, Palu di bonchi
Erythrina velutina

Gran parti di aña e palu akí no tin blachi. Pero ora e floria e ta yama mashá atenshon. Su blachinan tin forma di djamanta ku punta stòmpi. E ta floria ku flor oraño o kòrá bibu promé ku e desaroyá blachi. E flornan ta krese na tròshi i nan stèngel tin kabei. Un di e blachi di koronanan ta basta mas grandi ku sobrá i e ta krùl bai abou. E stámennan ta krese sali basta pida for di e flor. E stam kompleto i e takinan ta kubrí ku sumpiña duru forma di papurèshi. Despues ku e floria e ta saka bonchi chikitu maron, ku simia kòrá aden. E palu no ta original di Antia i na prinsipio ta den kurá so tabata mir'é. Pero awor ta haña un ke otro ehemplar aki i aya den mondi. Den tempu di sekura, e ta pèrdè su blachinan mashá lihé.

Bonchi di kabai

Een groot deel van het jaar is deze boom kaal. Als hij echter bloeit is het een opvallende verschijning in het landschap. De bladeren zijn afgerond ruitvormig. De boom bloeit meestal voordat er bladeren gevormd zijn met oranje of fel rode bloemen. Ze staan in trossen waarvan de stelen behaard zijn. Een van de kroonbladeren is extra groot en iets naar buiten gekruld. De meeldraden steken ver uit. De hele stam en de takken zijn met sterke kegelvormige doornen bezet. Na de bloei vormt de boom korte bruine peulen waarin de rode zaden zitten. De boom is ingevoerd en aanvankelijk alleen in tuinen aangeplant. Zo hier en daar kan men echter een verwilderd exemplaar aantreffen. In de droge tijd verliest hij snel zijn bladeren.

Indian coral tree

For a large part of the year this tree is leafless. However, if it blooms it makes a very striking appearance indeed. The leaves are more or less diamond shaped with rounded corners. The tree starts blooming with orange or bright red flowers before it grows leaves. The flowers grow in bunches on hairy stems. One of the petals is enlarged and curls outwards. The staminae protrude from between the petals. The stem and branches are covered with thick woody spines. After flowering the tree grows short brown pods with red seeds. The tree was introduced here and initially only planted in gardens. On a limited scale it has run wild though and one may find isolated trees in the bush. In the dry period it sheds its leaves rather rapidly.

Brasia, Kampeshi, Brasil
Haematoxylon brasiletto

Hopi bes ta konfundí Brasia ku Kibrahacha, pasobra nan tambe ta floria masalmente ku flor hel. Brasia ta un palu poko chikitu ku stam tur na kanal. E takinan tin sumpiña chikitu duru. E blachinan ta mas o ménos rondó i nan tin struktura di pluma. E flornan ta krese na tròshi yen. E fruta ta un baliña chikitu plat. Antes tabata uza palu di Brasia pa traha un pigmento kòrá. Tabata manda e palu Hulanda ku bapor, kaminda tabata rasp'é den un asina yamá 'rasphuis' pa ekstraé e pigmento. Tabata tinzji paña ku e kolorante aki, p'esei na hulandes nan ta yama Brasia "Verfhout".

Riba serunan di Malpais tin un bunita mondi di Brasia. Un diputado ku a aktua sin pensa a manda limpia un pida tereno basta grandi einan ku katapila. Awor akí no ta krese niun palu di Brasia mas riba e tereno ei (Sabana di Amigu di Tera). E ta yen di Wabi ku ta un palu ku den poko tempu ta yena tereno bashí i unabes un tereno ta yen di Wabi, otro palu no ta haña chèns. Ta di warda weta si un dia Brasia lo bolbe krese einan. Ta mashá fásil pa destruí naturalesa, pero difísil pa drecha e daño despues.

Verfhout, Brasiel

Deze boom wordt nogal eens verward met de Kibrahacha omdat hij ook massaal in bloei kan staan met gele bloemen. De twee bomen zijn echter helemaal geen familie van elkaar. De Brasil is een vrij kleine boom met een opvallend sterk gegroefde stam. De takken hebben korte stevige doornen. De bladeren zijn geveerd en rondachtig. De bloemen staan in dichte trossen en de vrucht is een kleine platte peul.

Het hout van deze boom werd vroeger gebruikt om er een rode kleurstof uit te bereiden. Hiervoor werd het hout verscheept naar Nederland waar het werd geraspt in het rasphuis om er de kleurstof uit te kunnen halen. Met deze kleurstof werden dan kleden geverfd, vandaar de naam Verfhout.

Op de heuvels van Malpais is nog een schitterend Brasielbos te vinden. Een onnadenkende gedeputeerde liet daar eens een terrein kaal bulldozeren en als je nu gaat kijken (de Sabana di Amigu di Tera) zie je dat daar geen Brasiel meer groeit. Wat er wel groeit zijn de Wabi-bomen. Dit komt omdat de Wabi heel goed is in het snel bedekken van open terreinen waarna andere bomen geen kans meer krijgen. Het is nog maar afwachten of er op die plek ooit weer Brasielbomen zullen groeien. Het is gemakkelijk om de natuur te vernielen maar het is heel moeilijk om daarna de schade weer te herstellen!

Dyewood, Brasilwood

Because this tree may flower in massive numbers and bears yellow flowers, many people confuse it with the Yellow poui though the two trees are not related. The Brasil is a rather small tree with strikingly deep grooves in the stem. The branches carry short heavy thorns and the leaves are pinnated and roundish. The flowers grow together in tight clusters. The pod is small and flat.

In former centuries the wood was used to prepare a red dye. The wood was shipped to Holland where it was rasped in the "rasp-house" to extract the dye. This dye was then used to colour cloth, hence the name Dyewood.

On the hills of Malpais a magnificent Brasil wood can still be found. An unthinking deputy at one time had a large area there cleared by a bulldozer. If you take a look there now (Sabana di Amigu di Tera), you will notice that no Brasil trees are to be found there anymore. What you will find are Cossie trees. This is because the Cossie tree is very adept at covering open places quickly, leaving no room for other trees anymore. It remains to be seen if there will ever grow Brasil trees again on this site. This shows you how easy it is to destroy nature and how difficult to restore it afterwards.

Tamarein
Tamarindus indica

Manera su nòmber latin ta indiká e palu akí no ta di e region akí. El a bini di sùitost di Asia, ounke originalmente e ta di Sahèl. Na kuminsamentu e tabata un palu kultivá, pero ku tempu el a kuminsá krese den mondi tambe. E ta un di nos palunan di sombra mas bunita. Mas parti su stam ta krese règt bai ariba i su takinan ta ekstendé basta leu i na punta nan ta kologá poko, formando asina un parasòl ku ta duna dushi sombra. E blachinan tin struktura di pluma. E flornan no ta masha yamativo, pero di aserka nan tin un bunita pinto: hel ku strepi kòrá. Su fruta ta un bonchi diki ku pipita plat furá ku un pulpa ku ta smak un tiki zür. Sa herebé awa ku suku huntu ku e fruta pa trèk un dushi stropi di tamarein o warapa. Antes den tempu di kuaresma kuminda di djabièrnè tabata funchi ku sòp'i gai kòrá, ku ta sòpi di tamarein. Por kome e pulpa sin kushin'é tambe. E ta bon pa será di kurpa. Para tambe ta loko ku tamarein. Prikichi ku lora ta pik e baliña habri fásilmente pa kome e kontenido. Trupial kachó gusta traha su nèshi largu forma di saku na punta di taki di Palu di tamarein.

Tamarinde

Zoals aan de Latijnse naam al te zien is, komt deze boom niet hier vandaan. Hij hoort oorspronkelijk thuis in de Sahel (Afrika) en is vandaar naar Zuidoost-Azië gebracht. Hij is op onze eilanden aangeplant, maar je treft hem toch ook vrij vaak verwilderd aan. Het is een van onze mooiste schaduwbomen. De stam is meestal kaarsrecht. De takken spreiden zich ver uit en hangen aan het eind vaak neer waardoor ze een schaduwrijke koepel vormen. De bladeren zijn geveerd. De bloemen vallen niet erg op, maar van dichtbij zijn ze bijzonder mooi getekend: geel met rode strepen.

De vruchten zijn dikke, bobbelige peulen waarin de platte zaden zitten. De zaden liggen in een vruchtmoes dat zurig smaakt. Als je het laat trekken en er suiker aan toevoegt, heb je heerlijke "stropi di tamarein". Vroeger werd in de vastentijd op vrijdagen veel tamarindesoep met funchi gegeten. Het vruchtvlees wordt ook wel zó gegeten. Het werkt dan als een laxeermiddel. Ook vogels gebruiken de Tamarinde als voedselbron. Papegaaien en parkieten weten zeer handig de peulen te openen om bij de inhoud te komen. De gele troepiaal bouwt vaak zijn lange hangnesten aan de uiteinden van de takken van een Tamarinde.

Tamarind

The Latin name already tells us that this tree belongs in South East Asia, although originally it comes from the Sahel. Initially it was cultivated on our islands but as it has run wild now it has spread over the islands. It is one of our most beautiful shade trees. The stem grows straight upright and the branches spread out from it. They bow down at the ends and in this way form shady, cool cupolas. The leaves are pinnated. The flowers are inconspicuous but seen up close show a beautiful pattern: yellow with red stripes.

The pods are thick and knobby and contain the flat seeds embedded in a pulp which has a sour taste. If you let it draw and then add sugar the pulp makes a delicious syrup ("stropi di tamarein"). Formerly during Lent people used to eat soup of tamarind with "funchi" (a kind of thick porridge from millet meal) on Fridays. The pulp can be eaten plain too; it has a laxative effect. Birds too like the Tamarind as a source of food. Parrots and parakeets are very apt at opening the pods to get at the contents. The yellow oriole often builds its large hanging nests in the branches of this tree.

Yerba di kèrkhòf, Pònpòn

Leonotis nepetifolia

E mata akí ta ideal pa uzo den bukèt seku pa motibu di su kalidat dekorativo. Originalmente Yerba di kèrkhòf a nase na Afrika, pero el a plama rònt den zona tropikal. Su strèn tin forma firkant i ta krese règt bai ariba. E ta floria den forma di un bola ku flor chikí oraño riba e strèn. Despues di floria e kèlki seku duru ta mantené su forma bòl. E blachinan tin stelchi largu, nan tin forma di kurason ku rant di skama gròf. E ta un mata ku ta krese típikamente den área kaminda e vegetashon original a disparsé. Antes tabata trèk yerba ku e blachinan pa baha keintura. E no ta krese na Aruba.

Yerba di kèrkhòf

Deze plant is ideaal voor droogboeketten. De Yerba di kèrkhòf komt oorspronkelijk uit Afrika maar heeft zich wijd verspreid door de tropen. Hij heeft een rechtopstaande vierkante stengel. De bloemen vormen bollen om de stengel heen en als de vruchten gevormd worden blijven de droge, harde kelken de bolvorm behouden. De bladeren zitten op lange stelen en zijn hartvormig met een grof gekartelde rand. De kleine bloemetjes zelf zijn oranje van kleur. Het is typisch een plant die op verstoorde plaatsen voorkomt, d.w.z. op plaatsen waar de oorspronkelijke vegetatie verdwenen is. Van de bladeren werd wel een thee getrokken die zou helpen tegen koorts. Hij komt niet voor op Aruba.

Lion's tail, Bald head, Man piabba

Because of its decorative properties this plant is ideal to use in a dry bouquet. It comes originally from Africa and has spread widely throughout the tropics. The quadrangular stem carries ball-like inflorescences from which the orange flowers protrude. After flowering the dry, hard calyxes together maintain the globular form. The leaves have long stems and are heart-shaped with a roughly milled edge. The plant is typical for disturbed sites, i.e. sites where the original vegetation has been removed. The leaves were being used to brew a tea which helped against fevers. The plant does not grow on Aruba.

Sentebibu, Aloe
Aloe barbadensis

Sentebibu ta un di nos mata típikonan ku por krese den e áreanan di mas seku, pero ku originalmente ta di Mediteráneo. E blachinan karnoso, ku forma puntá ta kontené un baba; nan ta krese den forma di rosèt. Rant di e blachinan tin spiña moli. E stèngel di flor ta sali di banda di entre e blachinan. E ta haña flor hel forma di tubu na tròshi largu ku ta floria di abou bai ariba. E mata akí ta mashá gustá pa blenchi ku ta defendé 'nan' Sentebibu fuertemente kontra intruso. Originalmente tabatin plantashon spesial pa kultivá Sentebibu. Tabata ekstraé e baba pa uzo medisinal, spesialmente komo laksante. Despues a bin deskubrí ku e ta kura herida tambe i no a dura muchu ku a kuminsá uz'é den tur sorto di produkto kosmétiko pa protekshon di kútis. Aruba tin un industria floresente di produktonan kosmétiko a base di Sentebibu. Sentebibu ta aliviá kimá, tantu di solo komo di kandela. Hopi hende ta meskla un tiki di e baba di Sentebibu den zjampu ora nan ta laba kabei. Ainda tin kas kaminda bo ta weta Sentebibu kologá na muraya pa warda kas kontra spiritu malu i pa trese suèrtè. Un tiki di e baba o pulpa di e blachi ta yuda tambe pa dolo'i garganta o fèrkout, pero e no ta smak masha agradabel sí.

Aloë

Dit is een van onze typische droogteplanten die echter oorspronkelijk uit het Middellandse-Zeegebied komt. De vlezige, spitse bladeren staan in een rozet en ze bevatten een slijmerig sap. De bladranden hebben weke stekels. De bloemsteel verschijnt zijdelings tussen de bladeren en draagt gele buisvormige bloemen in een lange tros, die van onderen af begint te bloeien. De plant is bijzonder geliefd bij kolibri's die "hun" Aloë fel verdedigen tegen indringers. Oorspronkelijk werd Aloë verbouwd op de plantages. Van het sap werd een extract gemaakt dat werd gebruikt in de geneesmiddelenindustrie, vooral als laxeermiddel. Later ontdekte men dat het ook een sterk helende werking had op wonden etc. Het werd al gauw verwerkt in allerlei huidbeschermingsmiddelen in de cosmetische industrie. Op Aruba wordt veel Aloë verbouwd en er is een bloeiende aloë-industrie die allerlei huidverzorgingsprodukten op aloëbasis produceert. Brandwonden of zonnebrand kunnen beide goed behandeld worden met sap uit de bladeren. Veel mensen mengen een beetje aloësap door de shampoo waarmee ze hun haar wassen. Soms ziet men nog een huis waarbij een Aloë in de deuropening hangt. Dit wordt geacht kwade geesten af te stoten en geluk aan te trekken. Men kan ook iets van het sap of het bladmoes slikken tegen keelpijn of tegen verkoudheid. De smaak is echter niet bepaald lekker.

Common Aloe

The Aloe is one of our typical xerophytic plants though originally it comes from the Mediterranean. The fleshy, pointed leaves which contain a slimy sap grow in a rosette. The leaf edges have weak, fleshy spines. The flower-stem grows sideways out of the rosette and carries yellow, tubelike flowers which grow in a long spike. The spike starts flowering at the lower end. The plant is a favourite among hummingbirds which defend "their" Aloe fiercely against possible intruders. Originally the plant was cultivated on plantations. From the sap an extract was made which was used in the medicine industry, especially as a laxative. Later the strong wound-healing properties of the sap were discovered and soon it was made into all kinds of cosmetic products. Nowadays there exists a thriving aloe-industry on Aruba which turns out all kinds of skin-care products with an aloe-base. Burns and also sunburn can be treated with the sap of the leaves. A bit of aloe-sap mixed with the shampoo gives the hair more "body". Sometimes one still sees a home with an Aloe hung from a nail. This is supposed to ward off all evil and to bring luck. One may swallow a bit of the sap or the pulp in case of a sore throat or cold. However, the taste is not very agreeable.

Shimaruku
Malpighia emarginata

E palu akí ta ofresé un di e fruta di mondinan mas dushi ku ta krese riba nos islanan. E palu mes ta mustra manera sin stansha, pa motibu ku e no tin hopi blachi. E blachinan tin forma elíptiko, pero ku parti ariba stòmpi. Kasi semper e blachinan tin komé di larva di insekto, loke ta duna nan un aspekto bieu i gastá. Despues di un bon yobida e ta saka flor chikitu blanku ku lila. Su fruta ta rondó koló kòrá bibu ku simia angular. Nan ta manera un chèri ku smak zut-zür i nan ta yen di vitamina C. Tin bisá ku tres shimaruku ta kontené mes tantu vitamina C ku un apelsina. Sòru pa no guli e simianan pasobra nan ta sera tripa mashá robes. Paga tinu pa no kibra e takinan ora ta piki shimaruku, sino otro be ku e pari e ta pari muchu ménos fruta. Chuchubi ku trupial i tambe blòblò ta hasi fiesta ku e fruta hechunan.

Westindische Kers

Dit boompje biedt een van de lekkerste vruchten die je in het wild kunt vinden. De boom zelf ziet er altijd een beetje iel uit omdat hij nooit dicht bebladerd is. De bladeren hebben een ellipsvorm met een stompe bovenkant. Het is heel typisch dat deze blaadjes praktisch altijd zijn aangevreten door de larven van een of ander insekt. De lichtgroene blaadjes vertonen dan bijna allemaal bruine randen of plekken waar het bladmoes is weggevreten. Hij bloeit na een regenperiode met kleine wit met paarse bloemetjes. De vruchten zijn knalrode bessen (de "kersen") die zoetzuur smaken. Ze bevatten enkele hoekige zaden. Men zegt dat drie shimaruku's evenveel vitamine C bevatten als één sinaasappel. Als je de vruchten eet moet je wel zorgen dat je de pitten niet inslikt want die kunnen lelijke darmverstoppingen veroorzaken. Zorg er ook voor dat, als je de vruchten plukt, je de takken niet breekt want dan komen er het volgende jaar natuurlijk veel minder vruchten aan de boom. Voor chuchubi's en troepialen zijn de bessen een feestmaal en ook de blou-blou (die grote blauwe hagedis) eet ze graag.

West Indian Cherry

This tree offers one of the most delicious fruits to be had in the wild on our islands. The tree itself always looks a bit thin because it never has a very dense foliage. The leaves themselves are elliptical with a flat top. Typically the leaves show signs of tunneling damage by larvae from insects, giving them a brown, worn look. The tree blooms after rains with small white and purple flowers. The fruits are bright red berries (the "cherries") with a sweet and sour taste. They contain some angular seeds. The saying is that three berries contain as much vitamin C as one orange. When eating the berries one should be careful not to swallow the seeds as they can cause an obstruction in your intestines. Take care, when picking the berries, not to break the branches as this will cause the next year's yield to be much smaller. Mockingbirds and trupials have a feast when the berries are ripening and so have the blue lizards!

Palu santu, Otaheita, Foyo di Krus
Thespesia populnea

E palu akí ta krese na kosta, spesialmente kantu di playa. E tin hopi blachi ku ta krese pegá pegá ku otro. Nan ta koló bèrdè skur forma di kurason. Su flornan ta hel ku un mancha kòrá kimá meimei. Su fruta ta rondó plat ku kaska manera kueru. Kasi semper e frutanan ta tur na wans kòrá. Ta uza e palu pa traha mueble. Ta uza kaska di Palu santu pa traha kabuya pa breu boto. Ta mara e blachinan ku un lensu na kabes pa aliviá doló di kabes. Sa trèk yerba tambe ku nan pa baha keintura. Di e fruta bèrdè por ekstraé un kolorante hel.

Palu santu

Een boom die gezocht moet worden langs de kust, vooral aan de baaien. Hij heeft glanzende, donkergroene, hartvormige bladeren die een dicht bladerdak vormen. De bloemen zijn geel met binnenin een donkerrode vlek. De vrucht is rond maar afgeplat en doet leerachtig aan. Je zult op deze vruchten bijna altijd rode wantsen aantreffen. Kennelijk zijn deze vruchten voor hen bijzonder aantrekkelijk.

Het hout wordt wel gebruikt voor meubels. Van de bast kan touw gemaakt worden om bootjes te breeuwen (waterdicht maken). De blaadjes worden gebruikt tegen hoofdpijn door ze met een doek tegen het hoofd te binden. Van de onrijpe vruchten kan een gele kleurstof worden gemaakt. Thee, getrokken van de bladeren zou koorts verlichten.

Cork, Seaside mahoe, Head-ache tree

This tree can be found along the coast, especially along the inner bays. It has shiny, dark green, heart shaped leaves which form a dense foliage. The flowers are light yellow with a dark red spot in the center. The fruit is round but flattened and the outside gives a leather-like impression. These fruits appear to be very attractive to the cotton stainer insects as they always can be found on them.

The wood may be used for building furniture. From the bark a kind of rope can be made to caulk small boats. The leaves are used as a remedy against headaches by binding them around the head with a cloth. From the unripe fruits a yellow dye may be obtained. Tea, brewed from the leaves

Mahòk
Swietenia mahagoni

Un di e palunan di sombra mas bunita di Antia Hulandes ta Mahòk. Mahòk bieu, manera ta krese den Parke Kristòf, ta alkansá proporshonnan gigantesko. Su blachinan ta puntá i nan tin struktura di pluma. E flornan no ta yama atenshon, nan ta chikitu koló bèrdè hel i nan ta krese na tròshi na base di e stelchi di blachinan. E frutanan ta bira bala maron ku kaska mashá mashá duru. Ora e kaska kibra habri, bo ta weta kon bunita e simianan ta ordená den e kaska. E simianan tin manera ala, di moda ku bientu por hisa nan plama rònt. Mahòk ta produsí e palu tan konosí ku ta traha mueble i porta di mahòk kuné. E tin un bunita vlam i e ta lombra presioso ora politur e. Probablemente e palu akí ta importá, pasobra ta den besindario di plantashi i kas so e ta krese.

Westindische Mahonie

Een van de fraaiste schaduwbomen die, met uitzondering van Aruba, op de Benedenwindse eilanden voorkomen, is de Mahòk. Oude bomen, zoals ze op Curaçao in het Christoffelpark staan, kunnen gigantische afmetingen aannemen. Ze hebben geveerde bladeren, waarvan de blaadjes zelf spits toelopen. De bloempjes zijn nauwelijks te zien; klein, geelgroenig, staan ze in trossen in de bladoksels. De vruchten groeien uit tot bollen met een bijzonder dikke schil. Als de schil openbarst dan liggen binnenin de zaden prachtig gerangschikt. De zaden zijn gevleugeld zodat ze door de wind kunnen worden verspreid. Deze boom is de leverancier van het bekende mahoniehout dat veel verwerkt wordt in meubels en deuren. Het heeft een prachtige tekening en kan hoogglanzend gepolitoerd worden. De boom is hier waarschijnlijk ingevoerd want je vindt hem alleen op plantages en in de buurt van huizen.

West Indian Mahogany

This is one of the finest shade trees to be encountered on our islands, though it does not grow on Aruba. Old trees, like the ones in the Christoffel park on Curaçao, may reach gigantic proportions. The leaves are pinnate with pointed leaflets. The flowers are hardly noticeable; small and yellowish green, they grow in small bunches at the axils of the leaf-stems. The fruits grow into hard balls with a very thick rind. When it bursts, the seeds inside show a beautiful arrangement. They possess "wings" and are carried away by the wind. This tree produces the well-known mahogany wood from which much antique furniture has been made. It has a beautiful pattern and can be polished to a high gloss. Probably the tree has been introduced here as it is to be found only on plantations and near houses.

Wabi, Hubada
Acacia tortuosa

E palu akí ta plamá tur kaminda riba nos islanan, probablemente pa motibu di e plaga di kabritu ku nos tin. E kabritunan ku ta kana lòs ta kome, sin eksagerá, kasi tur kos ku nan topa den kaminda. Pues tambe naturalmente tur sorto di mata i palu yòn ku nan por yega n'e. Pasobra Wabi tin sumpiña diki skèrpi fo'i yòn kaba, kabritu no ta mishi ku nan mashá. Konsekuensia di esaki ta ku nos vegetashon ta birando mas i mas uniforme, ku Wabi tur kaminda, miéntras otro sorto di mata i palu ta disparsé poko poko pero sigur. Ora "limpia" un tereno ku katapila, e ta yena ku Wabi despues, miéntras masha poko di e vegetashon original lo krese bèk. Wabi tin blachi chikitu ku struktura di pluma i sumpiña largu duru na e takinan. Un sumpiña di Wabi por bora un tayer fásilmente. E ta floria ku bola chikitu hel. Kada bola ta konsistí di un kantidat grandi di flor. E baliñanan di Wabi ta kasi pretu i basta règt. Por konfundí Wabi ku Indju o Dividivi, pero su sumpiña enormenan i e bolita helnan ta distinguí e palu akí klaramente for di e dos otronan. Kasi tur hende ta laga kita Wabi fo'i nan kurá, pero un bon tranké di Wabi por ta un protekshon efektivo kontra bishita indeseá.

Wabi

Deze boom heeft zich enorm verspreid op onze eilanden, waarschijnlijk door toedoen van de geitenplaag die er heerst. Loslopende geiten eten namelijk bijna alles, dus ook de jonge kiemplanten van allerlei bomen. Omdat echter de jonge planten van de Wabi al fikse doornen hebben, worden deze door de geiten minder gegeten. Het gevolg is dat onze vegetatie er steeds eenvormiger uit gaat zien. Er komen steeds meer Wabi's, terwijl andere soorten langzaam maar zeker verdwijnen. Als een terrein "schoon gebulldozerd" wordt, raakt het daarna bijna volledig begroeid met Wabi's en van de oorspronkelijke vegetatie vind je weinig terug.

De boom zelf heeft fijn geveerde bladeren en lange stevige doornen op de takken. Een Wabistekel gaat zelfs gemakkelijk door een autoband heen. Hij bloeit met kleine gele bolletjes en elk bolletje bestaat uit een groot aantal bloemetjes. De peulen van de Wabi zijn bijna zwart en niet erg gekromd. Verwarring zou kunnen optreden met de Indju en de Dividivi maar de enorme doornen en de gele bloemetjes maken deze boom duidelijk herkenbaar. Vreemd genoeg verwijderen de meeste mensen deze boom terwijl een Wabibos om het huis juist een bescherming vormt tegen ongenode gasten.

Cossie

This tree has multiplied extensively on our islands, probably through the plague of goats which prevails here. These goats eat literally everything they encounter and they are particularly fond of young plants and trees. Because the saplings of the Cossie already have large spines they are less attractive to the goats. This results in our vegetation becoming more and more uniform and monotonous with Cossies everywhere while other species dwindle. Just pay attention when some area is being "cleaned" by bulldozers. After the cleaning it will be covered almost completely by Cossies and very little of the original vegetation will grow back.

The tree itself has finely pinnated leaves with long, sturdy spines on the branches. Such a spine can easily penetrate a cartire! The tree blooms with small yellow balls each consisting of a great number of tiny flowers. The pods are almost black and not very curved. Confusion could occur with the Mesquite and the Divi-divi but the large spines and the yellow flowers make this tree easily recognizable. Most people remove these trees while actually a thick growth of Cossies around your property would make a very effective guard against unwanted guests.

Negrita di Malpais, Watapana shimaron, Dividivi shimaron, Mata di galiña

Acacia glauca

Manera un di su nòmbernan mes ta indiká, e mata akí parse Dividivi i e otro palunan ku blachi chikitu ku struktura di pluma. Sin embargo e diferensia ta bisto. Negrita di malpais ta un arbusto, no un palu i ademas su flornan ta koló blanku hel i nan ta forma bolita. E bolita di flornan akí ta krese na tròshi. Su takinan ta koló maron kòrá. Su baliñanan ta maron i nan ta manera pèrkamènt. Antes tabata uza rais di e mata aki pa doló'i garganta. Awendia e uzo akí a bai pèrdí. E mata akí no ta krese na Aruba.

Negrita di Malpais

Uit de Papiamentse namen blijkt al dat deze plant veel lijkt op de Dividivi en de andere bomen met fijn geveerde bladeren. Het verschil is echter duidelijk. De Negrita is een struik en geen boom en hij heeft bovendien geelwitte bloemen die in bolletjes staan. Deze bolletjes vormen samen weer een tros. De takken van deze struik zijn bovendien roodbruin gekleurd. De peulen zijn bruin en voelen aan als perkament. Vroeger werd de wortel van deze plant wel gebruikt tegen keelpijn. Tegenwoordig is men echter dit gebruik praktisch vergeten. Deze plant komt niet voor op Aruba.

Redwood

This is another plant seemingly similar to the Divi-divi and all those other ones with pinnated leaves. However, the difference is clear. First of all this plant is a shrub and not a tree. It carries yellowish white flowers which form small balls. These balls of flowers grow together in a cone-like bunch. Besides, the branches have a definite red brown colour. The pods are brown and feel like parchment. In former times the root of this plant was used to treat a sore throat. Nowadays this way of using the plant has almost been forgotten. It does not grow on Aruba.

Uña di gatu, Dabaruida
Mimosa distachya

Tras di su aparensia bunita, e mata akí ta skonde su mal karakter. Su takinan ta tur na sumpiña manera uña di pushi, manera su nòmber mes ta bisa. Unabes e sumpiñanan akí hinkabo, ta mashá difísil i doloroso pa saka nan. E tin blachi koló bèrdè kla ku struktura di pluma. Su flornan ta koló lila i nan ta krese manera den un tubu. Despues e ta kria bonchi chikitu, fini. Un tranké di Uña di gatu ta santu remedi kontra ladron.

Uña di gatu

Het mooie uiterlijk van dit struikje verbergt een vals karakter. Het is zeker geen katje om zonder handschoenen aan te pakken want op de takken zitten sterk gekromde doornen, zoals de nagels van een kat. Blijf je daar in hangen dan is het bijzonder moeilijk om zonder pijn weer los te komen. Hij heeft zachtgroene geveerde bladeren. Als hij bloeit vormt hij lila bloempjes die in een "pijpje" staan, zoals de "katjes" in Nederland. Hij vormt daarna kleine, dunne peultjes. Als je van deze plant een haag om je tuin zou maken, komt er geen inbreker doorheen.

Cat's nails

The pretty face this bush shows hides a mean character. The branches are covered with hook-like thorns, as sharp as the claws of a cat. They do act like claws too: once you get literally hooked by this bush it is very difficult and rather painful to disentangle yourself again. The leaves of this bush are soft green and pinnated. It blooms with small lilac flowers in cylinder-like inflorescences, rather like the catkins from the European willow tree. The seeds grow in small, thin pods. A hedge grown of these bushes makes an impenetrable wall around your home.

Indju, Kui, Kuihi
Prosopis juliflora

Indju tambe ta un bunita palu di sombra. Su blachinan ta bèrdè skur ku struktura di pluma ku sumpiña na base di e blachinan. E no tin asina tantu sumpiña manera Wabi, ni nan no ta asina duru tampoko, pero tòg hende ta konfundí e dos palunan akí, espesialmente ora nan no tin flor. Indju su flornan ta blanku hel i nan ta kologá na tròshi largu for di e takinan. E ta kria baliña largu koló hel kasi règt. Ta uza e palu akí hopi pa traha karbon. Antes tabata zag e brasa dikinan di e palu i laga e tronkon para pa e rekuperá i sigui krese. Un bon ehèmpel di un manera responsabel di anda ku rekurso natural. Na Boneiru tabata asta prohibí di kap palu ku no ta krese lihé (ounke Indju sí ta un di e palunan ku ta krese relativamente lihé). P'esei Boneiru su naturalesa ta bunita bèrdè ainda. Awendia ta ku katapila ta basha e palu abou i ta uz'é kompletamente pa kima karbon. Kaminda basha un Indju abou ku katapila, no ta bin krese un Indju nobo na su lugá. Wabi ta tuma su lugá. Un tempu tabata traha mesa di palu di Indju, nan tabata mashá gustá.

Indju

Dit is een mooie schaduwboom. Hij heeft donkergroene geveerde bladeren en aan de voet van de bladeren zitten doornen. Hij bezit echter lang niet zoveel en niet zulke sterke doornen als de Wabi, waar hij nog wel eens mee wordt verward, vooral als hij niet in bloei staat. Hij bloeit met kleine geelwitte bloempjes die in langwerpige trosjes van de takken afhangen. Hij vormt lange geelachtige peulen die nauwelijks gekromd zijn. Het hout van deze boom wordt veel gebruikt voor het maken van houtskool. Vroeger zaagde men dan de grote takken van een stam af en liet de boom daarna een aantal jaren met rust zodat hij nieuwe takken kon vormen. Een voorbeeld van hoe je moet omgaan met de natuurlijke hulpbronnen! Op Bonaire was het zelfs verboden om boomsoorten te kappen die niet het vermogen bezaten om snel te groeien (hoewel de Indju in verhouding juist snel groeit). Bonaire is heden ten dage dan ook nog opvallend groen! Tegenwoordig bulldozert men de hele boom om en gebruikt hem helemaal om houtskool van te maken. Er groeit dan echter geen nieuwe Indju terug! Zijn plaats wordt ingenomen door de Wabi.

Van de Indju maakt men ook de glimmende Kuihi-tafels die een tijd lang populair waren in de huiskamers.

Mesquite

This is a very attractive shade tree. Its leaves are dark green and pinnated with spines at the base of the leaf stem. Its spines are less numerous and not as strong as those from the Cossie, but nevertheless people tend to confuse these two trees, especially when they are not flowering. The Mesquite blooms with small yellowish white flowers in tube-like bunches. The pods are long and yellowish and almost straight. The wood of this tree is used to make carbon. Formerly one sawed off only the thick branches and then let the tree recuperate for a few years so it could grow new branches. A true example of how to exploit natural resources in a responsible way! On Bonaire it was even forbidden to cut down trees which did not have the capacity to grow back fast (though the Mesquite is a relatively fast grower). No wonder Bonaire is still strikingly green! Nowadays trees are cut down completely by bulldozers and then all of it is being burnt into carbon. However, no new Mesquite will grow in the same site again as the Cossie takes over. The shiny Kuihi-tables which were a fad for a time, were made from the wood of the Mesquite.

Oleifi
Bontia daphnoides

Oleifi ta un arbusto chikitu yen di blachi koló bèrdè bibu. E blachinan ta largu smal. Su flornan ta chikitu koló bèrdè pa hel maron i nan ta krese na base di stelchi di e blachinan. E flor ta konsistí di dos lep i riba esun abou tin algun kabei lila. Su fruta ta chikitu i e tin mésun forma i koló ku aseituna o oleifi, pero no por kom'é sí. Antes tabata uza Oleifi mashá pa forma tranké den kurá, pasobra henter aña e ta keda bunita bèrdè. Awendia Oleifi no ta mashá popular mas komo mata di kurá. Pero den mondi ainda e ta krese. Segun kreensia popular Hesus a sosegá bou di un Oleifi. Ora ta resa pa deskanso di defuntu, tabata uza taki di Oleifi pa sprengu awa bendita.

Olijfje

Dit is een kleine dichtbebladerde fris-groene struik. Hij bezit lange smalle bladeren. De vrij kleine bloemen zitten in de bladoksels en zijn groenig tot bruingeel gekleurd. De bloem bestaat eigenlijk uit twee lippen en op de onderste groeien wat paarse haren. De kleine vrucht heeft dezelfde vorm en kleur als een olijf. Hij is echter niet eetbaar. De Olijf werd nogal eens gebruikt om heggen te maken in de tuin omdat hij het hele jaar door groen blijft. Tegenwoordig is deze struik echter uit de gratie. Hij is nog steeds in het wild te vinden. Het volksgeloof wilde dat Jezus onder een olijfboom zou hebben gerust. Bij het bidden voor de zielerust van een overleden familielid werden vroeger takjes van deze boom gebruikt om het wijwater rond te sprenkelen.

Wild olive

This is a dense, fresh green little bush. The leaves are long and pointed. At the base of the leaf stems the small, green to brownish yellow flowers can be found. The flower actually consists of two lips with purple hairs growing on the lower one. The small fruit does look like a small olive in form and colour. However, it is not edible. This bush used to be planted in hedges surrounding the garden because it stays green throughout the year. Nowadays the bush has lost popularity as a garden plant though it still may be found in the wild. Popular belief has it that Jesus rested beneath an olive tree. When praying for the eternal rest of a deceased member of the family, twigs of this tree were used to sprinkle holy water.

Orkidia
Brassavola nodosa

E orkidia akí no tin nòmber propio na papiamentu ni na hulandes tampoko. Ta yam'é simplemente Orkidia o Orkidia blanku. Orkidia ta un epifit, lokual ke men ku nan ta krese riba otro mata, sin saka nutrishon for di nan. Nan rais ta kubrí ku un kapa diki di beskein. Beskein ta ekstraé awa for di airu i di e manera akí orkidia ta logra haña sufisiente humedat. Na su turno orkidia ta duna e beskein nutrishon. E forma di konvivensia akí di dos organismo den kua tur dos ta benefisiá, nos ta yama simbiósis òf, mas presis ainda, mutualismo. E blachinan di *Brassavola* ta duru, kasi rondó kabando den un punta. E ta floria gran parti di aña, mandando un oló dushi parti di anochi. Den tempu di yobida e ta stòp di floria pa forma blachi nobo. E flor blankunan tin seis pétalo (blachi di korona), di kua sinku ta largu smal i e di seis (e lep) tin forma di kurason i ta mas diki. Kasi ta parse manera e flor ta konsistí di un pétalo so. Ora e floria, Orkidia ta atraé raton di anochi ku ta bin chupa néktar kousando hopi daño na e flornan pa gran disgustu di kriadó di orkidia riba nos islanan.

Witte orchidee

Eigenlijk heeft deze orchidee geen naam in het Nederlands. De aanduiding "Witte orchidee" slaat alleen maar op de kleur van de bloem net als bij de andere soort die paars bloeit en dus "Paarse orchidee" wordt genoemd. Orchideeën zijn epifyten, d.w.z. dat ze op bomen groeien maar geen voedingsstoffen uit die bomen halen. Om hun wortels zit een dikke witachtige laag waarin schimmels leven. Deze schimmels slagen erin om vocht uit de lucht vast te houden en zo lukt het de orchideeën om voldoende vochtig te blijven. De schimmels krijgen waarschijnlijk voedingsstoffen van de orchidee. Zo'n samenleving van twee organismen waarvan beide voordeel hebben, noemt men symbiose, of, nog preciezer, mutualisme. De bladeren van de *Brassavola* zijn hard, bijna rond en ze lopen spits toe. De *Brassavola* kan bijna het gehele jaar door bloeien. 's Nachts verspreiden de bloemen een sterke, zoete geur. Juist als het veel regent stopt hij met bloeien en dan gaat hij nieuwe bladeren maken. De witte bloemen hebben 6 kroonbladeren waarvan 5 lancetvormig zijn en de zesde (de lip) breed hartvormig uitloopt. Vaak lijkt het dus alsof de bloem slechts uit één kroonblad bestaat. Als hij bloeit trekt hij 's nachts veel vleermuizen aan die zich tegoed doen aan de bloemen, tot grote ergernis van de orchideeënkwekers op onze eilanden.

Lady of the night

Actually this orchid does not have a proper name in Papiamentu, nor in Dutch. It is simply called "orchid" or "white orchid" to distinguish it from the next species which shows purple flowers and hence is called "purple orchid". Orchids are epifytes, i.e. they grow on other plants without extracting any nourishment from these plants. Their roots are enveloped in a thick layer of fungi. These fungi are able to trap water from the air and in this way the orchid gets sufficient moisture. The fungi meanwhile get nourishment from the orchid. Such a co-existence of two different organisms from which both have advantage is called symbiosis or, more precisely, mutualism. The leaves of the *Brassavola* are hard, almost round and ending in a pointed tip. It may flower for the largest part of the year. The flowers exude a heavy, sweet smell at night. Only when the wet season brings a lot of rain does it stop flowering and starts growing leaves. The white flowers consist of 6 petals from which 5 are narrow and ribbon-like while one (the lip) is heart-shaped and broad. It almost looks like the flower consists of only one large petal. When flowering, bats are attracted to gather nectar and may do considerable damage to the flowers, much to the annoyance of various orchid culturists on the islands.

Banana shimaron

Schomburgkia humboldtii

Un di e karakterístikanan di orkidia ta nan batata falsu. Mata ku batata di bèrdè ta uza esaki pa warda nutrishon di reserva aden. Orkidia semper tin manera un batata na nan base, pero no tin nutrishon aden, p'esei nos ta papia di batata falsu. Banana shimaron tambe tin un batata falsu, e ta basta grandi i e tin repchi. Parti di ariba e ta saka un blachi steif na kada banda. Meimei di e dos blachinan akí ta sali un stelchi di flor ku ta krese un par di meter largu den direkshon di solo. Na punta e ta saka un tròshi di flor lila mashá bunita. Nan tin forma típiko di flor di orkidia: sinku pétalo largu i un ku forma bunita desaroyá ku tres lòpchi. Den e batata falsunan bieu vruminga ta traha nèshi. Asina bo mishi ku e batata nan ta kore sali afó. E vruminganan akí ta pika duru. Di e manera akí nan ta protehá e orkidia kontra insekto ku ta kome blachi. E orkidia ta brinda nan hospitalidat i nan ta ofresé e orkidia protekshon: esaki tambe ta un forma di mutualismo. E mata akí no ta krese na Aruba.

Paarse orchidee

Orchideeën zijn herkenbaar aan een schijnknol. Planten die echte knollen maken doen dit om er reservevoedsel in op te slaan. Orchideeën hebben aan hun voet altijd een zwelling (bij sommige nauwelijks waarneembaar) maar daar zit geen reservevoedsel in. Het is dus geen echte knol maar een schijnknol. Bij de Banana shimaron, die niet op Aruba voorkomt, is deze schijnknol heel groot en geribbeld. Aan de bovenkant vormt hij twee stijve bladeren die naar weerskanten uitsteken. Tussen de bladeren vormt zich de bloemsteel die altijd de zon op zal zoeken en dan soms meters lang kan worden. Aan de top komen de fraaie lila tot paarse bloemen uit. Ook hier weer de typische orchideebloem: 5 kroonbladeren zijn langwerpig en de zesde is fraai ontwikkeld met drie lobben.

In de dode knollen leven vaak kolonies van mieren die bij de geringste aanraking in grote getale naar buiten komen. Ze kunnen gemeen steken en op deze manier beschermen ze de orchidee misschien tegen vraat van andere insekten. De orchidee biedt ze gastvrijheid: weer een vorm van mutualisme.

Humboldt's orchid

A characteristic of the orchids is their having a pseudobulb. Plants with real bulbs use these to store extra nourishment. At the base, orchids always have a bulbous growth (sometimes hardly discernible) but as this is not used as storage of food it is called a pseudobulb. This orchid, which does not grow on Aruba, has a very large, heavily ribbed pseudobulb. On top two stiff leaves stretch to both sides and in between, the long flower stem starts to grow. It will always grow towards the sun, and may grow several meters long. At the tip it shows a bunch of purple flowers. These are formed like the typical orchid flower: 5 petals are oblong and the sixth is beautifully shaped with three lobes.

In the dead pseudobulbs, colonies of ants can be found and they will swarm out with the slightest movement of their home to attack possible intruders. They have a nasty bite and in this way they may protect the orchid from leaf-eating insects. As the orchid offers them hospitality this too is a form of mutualism.

Chimichimi, Polvo shimaron
Argemone mexicana

E mata akí parse un berdadero kardo. Su blachinan ta duru, koló bèrdè shinishi i nan tin rant di djente. Kada djente ta kaba den un sumpiña. Nèrvio di e blachinan tambe tin sumpiña. E mata ta saka flor grandi hel ku hopi stámen. E fruta ta un fruta di kápsula ku ta baster habri parti di ariba, spreit simia chikitu pretu tur rònt. Na Afrika nan ta kultivá e mata akí pa ekstraé un insektisida natural for di dje. Antes tabata uza e djus hel di e blachinan pa hunta riba pèshi.

Distel

Deze plant lijkt op een echte distel. De bladeren zijn hard, grijsachtig groen en hebben een getande bladrand. Elke tand eindigt in een stekel. Ook op de nerven van de bladeren staan stekels. De plant vormt bovenaan grote, gele bloemen met veel meeldraden. De vrucht is een doosvrucht die openspringt aan de top en dan veel kleine zwarte zaadjes verspreidt. In Afrika wordt deze plant gekweekt om er een natuurlijk insecticide aan te onttrekken. Het gele sap van de bladeren werd gebruikt om op puisten op de huid te smeren.

Prickly poppy, Mexican poppy, Yellow thistle

This plant resembles a real thistle. The leaves are hard, greyish green and with a dentate edge with every dent ending in a spine. The veins in the leaves carry spines too. The plant grows large, yellow flowers with many staminae. The pod is box-like and bursts open at the top, spreading small black seeds all around. In Africa this plant is being cultivated in order to extract a natural insecticide from it. The yellow sap from the leaves was used to cure pimples on the skin.

Korona di Labírgen, Markusa, Krùiseblum, Yerba di Krus, Shoshoro

Passiflora foetida

Tin diferente variante di e mata akí riba nos islanan, entre otro, Parchita, Bèshi di tinta, etc. Por rekonosé nan na nan manera di tira ranka rònt di otro mata pa krese i tambe na nan blachi típiko di tres lòpchi. Korona di Labírgen tin blachi koló bèrdè kla kubrí ku kabei suave. Su flornan tin sinku blachi di korona koló lila kla i e sinku blachi di kèlkinan koló bèrdè kla ta un tiki mas grandi ku nan. Den e flor un gran kantidat di blachi manera hilu lila ta krese den un sírkulo formando manera un korona. E fruta ta un bèshi di blas ku ta tira pa bèrdè. Mucha gusta primi e bèshinan laga nan rementá. Un di e variantenan ku parse Korona di Labírgen ta "Bèshi di tinta" (*P. suberosa*). E ta poko mas chikitu, su blachinan ta bèrde skur lizu i su bèshinan ta koló blublèk. Parchita tambe ta un miembro di e famia akí. Un baño ku ekstrakto di Korona di Labírgen tabata santu remedi kontra sarampi i royehònt. Pa será di kurpa i piedra na nir tabata bebe yerba di e blachinan. Tabata pone e flornan trèk den awa friu pa bebe pa limpia sanger.

Passiebloem

Er komen verschillende soorten passiebloemen voor op onze eilanden. Ze zijn allemaal direct herkenbaar doordat ze met hun ranken tegen andere planten op klimmen en door de typische drielobbige bladeren. Deze soort heeft zachte behaarde bladeren die lichtgroen van kleur zijn. De bloemen bestaan uit 5 zacht lila kroonbladeren. De 5 groenachtige kelkbladeren steken onder de kroonbladeren uit. Binnenin de bloem staan dan nog een groot aantal paarse draadvormige blaadjes in een cirkel, de "kroon" (= korona). De vrucht is een groenachtige bes die wat opgeblazen is. Kinderen houden ervan om deze bes te laten klappen.

Een andere soort die hier veel op lijkt, de "Bèshi di tinta" (*P. suberosa*) is kleiner, heeft donkergroene gladde bladeren en vormt een blauwzwarte bes. De "Parchita" (passievrucht) is ook lid van deze familie.

Baden in een aftreksel van de plant diende als middel tegen rodehond en mazelen. Thee, getrokken van de bladeren schijnt te helpen tegen verstopping en tegen nierstenen. De bloem werd getrokken in koud water dat gedronken werd om het bloed te zuiveren.

Passion flower

There exist several species of passion flowers on our islands. They are all recognizable by the tendrils by which they climb into other plants, and by the typical three-lobed leaves. This species has soft, hairy, light green leaves. The flowers consist of 5 soft lilac petals with the greenish sepals protruding from underneath. On the inside, a great number of purple thread-like leaves form a circle, creating the "crown" (= korona). The fruit is an inflated greenish berry which the children love to pop.

Another similar species (*P. suberosa*) has smaller, dark green, smooth leaves and makes a bluish black berry. The passion fruit ("parchita") is of course a member of this family too.

Taking baths in an extract of this plant served as medicine against regular and German measles. Tea, brewed from the leaves seems to offer relief for constipation and kidney stones. The flower was drawn in cold water and this served to purify the blood.

Beyísima
Antigonon leptopus

Tur hende ta haña e mata akí una beyesa, te ora e kuminsá krese den nan kurá. E ta krese tapa tur otro mata, kita nan di haña solo i di e manera ei tarda nan kresementu. Ta difísil eradiká Beyísima, pasobra e ta forma batata chikitu dip den tera. Despues di un bon yobida e batatanan ta spruìt masha lihé i den poko tempu nan ta krese tapa tur kos atrobe. E blachinan tin forma di un kurason largu i ta parse komo si fuera nan ta yen di bòlòbònchi. E flornan ta kologá na tròshi grandi koló ros pipa. Ta eksistí un variante ku flor blanku. Un fèlt tapá ku Beyísima ta un bista presioso. E flornan semper ta haña masha bishita di abeha. Su fruta ta koló maron, un tiki di blas. Yerba ku trèk di e flor i blachinan ta bon pa tosamentu i será di garganta.

Bruidstranen

Deze plant wordt door iedereen ten zeerste bewonderd totdat hij in de eigen tuin doordringt. Hij groeit namelijk over alle andere planten heen, neemt het zonlicht weg en op deze manier vertraagt hij hun groei. De Beyísima is moeilijk te verwijderen omdat hij knolletjes vormt die diep in de grond kunnen zitten. Na de regen lopen deze knolletjes razendsnel uit en binnen de kortste keren is alles weer bedekt met deze plant. De bladeren zijn uitgerekt hartvormig en ze maken een bobbelige indruk. De bloemen staan in grote trossen en zijn fel rozerood. Er bestaan ook planten met witte bloemen. Een heel veld bedekt met Beyísima is een prachtig gezicht. De bloemen worden altijd druk door bijen bezocht. De vruchtjes zijn bruin en iets opgeblazen. Van de bladeren en bloemen wordt een thee getrokken die helpt tegen hoest en een opgezette keel.

Coral vine, Bride's tears

This plant is much admired by everyone until it appears in their own garden. It will grow rapidly over all other plants, blocking the sunlight and hence retarding their growth. The Coral vine is very difficult to remove as it possesses small tubers which can grow quite deep into the ground. After the rains these tubers will rapidly sprout new vines and within a short time everything will be covered again by this plant. The leaves are oblong heart-shaped and make a knobby impression. The flowers hang down in large fiery rose-red bunches and there also exists a variety with white flowers. An area completely covered with the Coral vine is a sight to behold! Bees are frequent visitors of the flowers. The fruits are brown and a bit inflated. From the leaves and flowers a tea can be brewed which is effective against coughs and throat constriction.

Dreifi di laman, (Mata di) Drùif

Coccoloba uvifera

E palu o arbusto grandi akí ta krese prinsipalmente na kosta. Awendia e ta mashá gustá pa su karakterístika dekorativo i ta planta esun ku ta krese manera arbusto mashá den parke i kurá. E tronkon ta suave tur na mancha. E blachinan ta grandi, práktikamente rondó i nan stelchi ta kòrtiku. E flornan no ta hala masha atenshon: nan ta chikitu blanku i nan ta krese na tròshi largu. Despues di fertilisashon nan ta bira e "dreifinan" koló bèrdè ku ta bira blou püs ora nan hecha. Mucha gusta nan mashá. E palu ta duru i ta uz'é pa traha mueble. Ta trèk yerba di su kaska pa habrimentu di barika.

Zeedruif

Deze boom of grote struik vindt men in het wild vooral langs de kust. Tegenwoordig heeft men de decoratieve eigenschappen van deze plant ontdekt en hij wordt veel als sierplant aangeplant, meestal in heestervorm. De stam is glad en gevlekt. De grote bladeren staan op een korte steel en zijn praktisch rond. De bloei is onopvallend: kleine witte bloempjes die in lange trosjes hangen. Daaruit ontwikkelen zich de "druiven" die eerst groen zijn en later blauwachtig paars. Kinderen eten deze iets weeïg smakende vruchten graag. Het hout is hard en werd wel gebruikt voor het maken van meubels. De bast wordt gebruikt in een thee tegen diarree.

Sea grape

Growing as a tree or a spreading bush it is found most often along the seashore. Nowadays the decorative properties of this tree have been discovered and it is being seen more often in gardens and parks. The stem is smooth and spotted and the large leaves are almost round with a short stem. It blooms inconspicuously with bunches of small white flowers. After fertilization the "grapes" appear, at first green but when ripening they take on a bluish purple colour. Children are quite fond of their slightly acid taste. The wood is quite hard and has been used for making furniture. The bark may be used in a tea against diarrhea.

Apeldam, Dámpanchi, Fruta di dam
Zizyphus spina-christi

Na 1881 òf 1882 Cornelis Gorsira a hasi un biahe pa Tera Santu. El a bini bèk ku diferente sorto di mata i simia. Apeldam ta un di e palunan ku el a introdusí na Kòrsou. E palu ta krese basta grandi i su blachinan tin forma di webu. Na base di e blachinan ta krese un sumpiña règt i un doblá. E flornan tambe ta krese for di base di e blachinan, pero nan ta duna impreshon komo si fuera ku ta riba e takinan, ku tin tendensia di kologá, nan ta krese. Parti ariba di e taki ta keda kompletamente kubrí ku e flornan koló blanku-hel. Ora e kaba di floria, e flornan ta bira apel chikitu rondó koló hel. Por kome nan. E palu akí a plama rònt Kòrsou, pero semper kaminda tin hende ta biba. Yerba di blachi di Apeldam ta bon pa fèrkout, preshon haltu i diarea.

Apeldam

In 1881 of 1882 maakte Cornelis Gorsira een reis naar het Heilige Land. Bij zijn terugkomst had hij allerlei planten en zaden daar vandaan bij zich. De Apeldam is een van de bomen die door hem is ingevoerd. De boom kan groot worden en heeft eivormige blaadjes. In de bladoksels staan een kromme en een rechte doorn. De bloemetjes staan in de bladoksels maar het lijkt alsof ze boven op de neerhangende takken staan. De bovenkant van zo'n tak is dan helemaal bedekt met de geel-witte bloempjes. Uit de bloempjes komen kleine ronde, gele vruchtjes, de "appeltjes". Ze zijn eetbaar en smaken het meest naar een melige appel. De boom heeft zich over het hele eiland verspreid, maar wel altijd in de buurt van huizen. Thee, getrokken van de blaadjes zou helpen tegen verkoudheid, hoge bloeddruk en diarree.

Christ thorn

In 1881 or 1882 Mr. Cornelis Gorsira made a voyage to the Holy Land. On his return trip he brought with him all kinds of native plants and seeds. The Christ thorn is one of the trees imported by this gentleman. The tree may grow quite high and has ovoid leaves. In the axils of the leaves grow a straight and a curved spine. The flowers sprout from the axils also. They all grow on the topside of the hanging branches making them appear as if covered by the yellowish white flowers. After blooming the small, round yellow fruits will appear, resembling miniature apples. They are indeed edible and have a mellow taste. The tree has spread throughout the islands, though always near human habitation. Tea, made from the leaves, would help cure colds, high blood pressure and diarrhea.

Mangel tan

Rhizophora mangle

E sorto akí ta e mangel mas komun kantu di nos bénewaternan. Por rekonos'é fásilmente na e raisnan aéreo ku ta krese fo'i e takinan bai abou. Mangel tan mester kria rais aéreo, pasobra su raisnan mes ta bou di awa semper di manera ku nan no ta haña basta oksígeno. Su blachinan ta oblongo koló bèrdè lombrá. Su flornan ta koló blanku i nan ta krese na grupito na stelchi di flor ramifiká. E simianan ta sprùit miéntras nan ta kologá ainda na e takinan kreando e impreshon ku tin yen di rakèt chikitu ta kologá na e takinan. Dado momento nan ta kai fo'i e takinan i awa ta bai ku nan i kaminda nan bai para ta forma un bòshi di Mangel nobo. Mangel ta masha importante pa medio ambiente di nos bénewaternan. Nan ta wanta lodo pa áwaseru no lastr'é bai laman kuné. Tur sorto di animal di awa chikí ta pega na nan rais aéreonan. Piská chikitu ta haña lugá di skonde i kuminda na abundansia banda di mangel. Mangel ta lugá di brui di nos piskánan di ref! P'esei mester pèrkurá pa no destruí nan nunka! Antes piskadónan tabata frega kabuya ku e planchinan di mangel. E planchinan ta kontené tanina i probablemente esaki ta tarda e proseso di putrimento. Na hulandes antiguo e palabra ku nan tabata uza pa e práktika akí ta "tannen". Kisas esaki a duna nos mangel e nòmber Mangel tan.

Rode Mangrove

De brede mangroveranden langs onze binnenbaaien worden voornamelijk gevormd door deze mangrovesoort. Je kunt hem direct herkennen omdat hij luchtwortels maakt die van de takken naar beneden hangen. De Mangrove moet luchtwortels maken want zijn eigen wortels staan altijd onder water en daar krijgen ze niet voldoende lucht. De bladeren zijn langwerpig en glanzend groen. De witte bloemen staan met meerdere op de vertakte bloemsteel. De zaden beginnen al uit te lopen als ze nog aan de plant zitten. Je ziet dan lange raketachtige kiemplanten van de takken afhangen. Deze vallen op een gegeven moment af, worden door het water meegenomen en zorgen zo ergens anders voor nieuwe mangrovegroei.

Mangroves zijn heel erg belangrijk voor het milieu van onze binnenbaaien. Ze houden de modder tegen die anders met regenbuien de baai in zou stromen. Aan hun luchtwortels in het water groeien allerlei kleine diertjes. Jonge visjes vinden er een goede schuilplaats en voedsel in overvloed. De mangroves zijn vaak de kraamkamers voor onze rifvissen! Ze mogen dan ook nooit vernietigd worden! Vissers gebruikten vroeger de kiemplanten voor het “tannen” (Oudnederlands) van touw, d.w.z. dat ze het touw met de kiemplanten, waarin tannine (looizuur) zit, inwreven tegen bederf. Vandaar misschien de naam Mangel tan.

Mangrove

The broad mangrove-edges bordering our inner bays are almost entirely made up of this species. The tree is immediately recognizable by its air-roots hanging down from the branches. The Mangrove grows these air-roots because the proper roots are always under water and can not get enough oxygen. The leaves are oblong and shiny green. The white flowers grow in small groups on a branched flower stem. The seeds sprout when still hanging on the branches, making the saplings look like small rockets. When finally they drop down, the water will carry them away to start new mangrove-growth in some other place.

Mangroves are very important for the ecosystem of our inner bays. They catch the mud which otherwise would enter the bays when it rains. A whole community of small water animals is attached to the air-roots. Many small fish find shelter and an abundance of food. The mangroves are the maternity wards of our reefs and should never be destroyed! In former times fishermen used to rub their ropes with the saplings of the mangrove as the tannine in the saplings gave more protection against rot. As the old Dutch word for this practice was “tannen”, this probably explains the Papiamentu name for this tree.

Pan di diabel, Batata hel, Lumbra machu, Palu sapateru
Morinda royoc

Hopi hende ta konsiderá e mata subidó akí un yerba malu. E ta krese tur kaminda i ta mashá difísil deshasí di dje. Su takinan ta rama lora den otro mata i te asta tapa nan kompletamente. Su blachinan tin forma largu elíptiko. Su flornan ta blanku ku kuater o sinku blachi di korona ku na base ta krese pegá na otro formando un tubu. Despues di polinisashon i fertilisashon e ovario ta krese bira un fruta rondó hel paresidu na un anasa chikitu. Ta e fruta akí ta “pan di diabel”.

Duivelsbrood

Deze klimmende plant zal door de meeste mensen worden beschouwd als onkruid. Je treft hem overal aan en hij is lastig te verwijderen. De takken kruipen tussen alle andere planten door en kunnen deze zelfs overdekken. Hij heeft langwerpige ellipsvormige bladeren. De bloemetjes zijn wit met 4 of 5 kroonblaadjes die onderaan met elkaar zijn vergroeid tot een buisje. Na de bestuiving en bevruchting groeit het vruchtbeginsel uit tot een ronde, gele vrucht die wel een beetje doet denken aan een hele kleine ananas. Deze vrucht is het “duivelsbrood” (Pan di diabel)

Duppy poison, Wild mulberry, Yaw weed

Most people will consider this winding plant a weed as it grows everywhere and is difficult to get rid of. The winding stems grow between the branches of other plants and may even cover them completely. The leaves are long elliptical and the flowers are white with 4 or 5 petals grown together at the base, forming a small tube. After pollination and fertilization the ovary forms into a round yellow fruit, almost resembling a miniature pineapple. This fruit is called “devil’s bread” in Papiamentu.

Palu di lele, Rabu di kabai, Wakura

Randia aculeata

E palu akí su stam ta krese règt règt i e ta saka kada bes tres taki semper na mes altura rondó di e stam, formando un korona. Kortando un pida di e stam di ± 35 cm i kitando tur e korona di takinan ménos unu, bo ta haña un bon hèrmènt pa lele, loke a dun'é e nòmber "Palu di lele". Ta uza palu di lele pa lele yambo, tutu, papa di maishi chikí, etc. Por kumpra un lele na tienda di suvenir, na marshe o den kunuku kaminda ta bende produkto di agrikultura, pero hopi bia e uzadó ta trah'é e mes. E palu tin blachi chikí rondó koló bérdè kla, ku ta krese huntu na grupo. E takinan tin sumpiña i e flornan ta chikí koló manera bèrdè. Si no ta pa e holó típiko ku e flornan ta manda despues di un yobida, kasi no ta ripará nan. Su fruta ta un bèshi rondó pretu ku ta krese riba e taki mes. E palu akí no ta krese na Aruba.

Palu di lele, Rabu di kabai, Wakura

Dit boompje heeft een keurig recht stammetje waaraan op gezette afstanden telkens drie takken op dezelfde hoogte ontspruiten. Zo vormen ze als het ware kransen om het stammetje heen. De plant heeft lichtgroene, rondachtige blaadjes die in groepjes bij elkaar staan. Er zitten doornen op de takken en de kleine bloempjes zijn groenachtig van kleur. Je ziet het boompje nauwelijks bloeien maar je ruikt hem wel: een weeïge geur, vooral als het net heeft geregend. De vrucht is een ronde, zwarte bes die direct op de tak zit.

Van de groeiwijze van dit boompje wordt handig gebruikt gemaakt door er een roerstok van te maken. Er wordt een stuk van ongeveer 35 cm van het stammetje afgesneden. Daar worden alle zijtakken van weggesneden behalve de onderste krans van drie. Met deze "palu di lele" (= stok om mee te roeren) wordt "yambo" (okrasoep) en "papa di maïshi chikí" (pap van maïsmeel) geroerd. Ook gebruikt men deze roerstok om er "tutu" (een gerecht met bonen en maïsmeel) mee te bereiden. Meestal maakt iedereen zijn eigen palu di lele maar je kunt hem tegenwoordig ook kopen in souvenirwinkels, op de markt, bij stands in de kunuku waar landbouwprodukten worden verkocht en zelfs in de supermarkt. Dit boompje komt niet voor op Aruba.

Five fingers, Goathorn, Inkberry

In souvenir shops, and in the supermarket household counters, one may encounter the stem and branches of this small tree. It has a perfectly straight stem with at fixed intervals three branches sticking out, all at the same angle. They actually form crowns at different heights around the stem. When you take a piece of the stem, cut of all branches except the lower three and trim these to the correct length you will have the original "Palu di lele" (lit. stick to stir) which is still being used in many kitchens. It is especially in demand for making a typical local dish from beans and corn ("tutu") or to stir okra soup with.

The plant itself has small, roundish, light green leaves which grow together in small bunches. The branches possess thorns and the flowers are small and greenish. One hardly will notice the flowering of this tree but when it does flower, it spreads a typical sickly smell, very noticeable after a shower. The fruit is a round, black berry growing right on the branch. This small tree does not grow on Aruba.

Yerba stinki

Datura metel

Nos ta weta e mata akí hopi riba tereno limpiá. Asina otro mata kuminsá krese Yerba stinki ta desaparesé. Aparentemente e no por ku kompetensia. E ta un mata ku ta krese règt bai ariba ku strèn diki kubrí ku kabei. Su blachinan ta grandi ku rant di djente puntá ku basta espasio entre e "djentenan". Su flor ta spektakular: un korona grandi blanku forma di klòk ku ta krese règt bai ariba, komo si fuera e ke bisa: atami akí, gosami. E ta krese semper den sker di dos taki. Ora e kaba di floria e ta forma un kápsula grandi bòl tur na sumpiña. Yerba stinki ta pertenesé na mes famia na kua e.o. batata tambe ta pertenesé. Den e famia akí tin diferente mata ku kalidat narkótiko. Nan ta bisa ku un par di blachi di Yerba stinki bou di kusinchi ta garantia pa un soño profundo. Pero mester tene kuidou pa no uza di mas. E simianan ta venenu.

Yerba stinki

Deze plant wordt vooral aangetroffen op terreinen die kaal geslagen zijn. Zo gauw er wat meer begroeiing komt moet de Yerba stinki het kennelijk afleggen tegen de concurrentie. Het is een rechtop groeiend kruid met dikke harige stengels. Hij heeft grote bladeren die zeer grof getand zijn, met grote inhammen tussen de spitse “tanden”. De bloem is spectaculair: een grote witte, klokvormige kroon die trots rechtop staat. De bloem staat altijd in de vork waar de stengel zich vertakt. Na de bloei wordt daar een grote bolle doosvrucht gevormd die bezet is met stekels.

De Yerba stinki hoort bij de familie waartoe o.a. ook de aardappel behoort. In deze familie komen verschillende planten voor die stoffen bevatten met verdovende eigenschappen. Men zegt van de Yerba stinki ook dat enkele bladeren onder het kussen een diepe slaap garanderen. Je zou er echter weer niet teveel van moeten nemen! De zaden zijn giftig.

Prickly burr, Devil’s trumpet, David bush

This is a plant typical for open areas where the original vegetation has been cleared away. As soon as the vegetation gets thicker, the Prickly burr disappears as it apparently is not equal to the competition there. It is a rather large herb with an upright growing, thick, hairy stem. It has large leaves which are crudely dentate with the edges forming large concave curves between the pointed “teeth”. The flower is spectacular: it forms a large white trumpet which stands proudly upright. The flower always grows in the fork of two “branches”. After flowering a large ovoid pod is formed, covered with spines. The Prickly burr belongs to the same family as the potato. Various members of this family have narcotic properties. They say that some leaves of the Prickly burr under your pillow will make you sleep very soundly. But you should not use too many of them! The seeds are poisonous.

Basora kòrá, Betónika
Melochia tomentosa

E mata aki ta krese spesialmente kant'i kaminda. Su blachinan tin kabei shinishi i nan tin rant di djente. Pero su strèn i takinan tin un koló kòrá i su flornan ta püs i nan ta krese na grupo. E mata akí por krese te un haltura di dos meter. Yerba di e blachinan di Basora kòrá ta bon pa sanger suak (anemia) i pa limpia sanger. Yerba di e rais ta bon pa hòru kuné den kaso di doló di garganta. Antes tabata uz'é tambe pa baha preshon.

Basora kòrá

Deze plant komt zeer algemeen voor, vooral langs wegkanten. Hij heeft bladeren die grijs behaard zijn en die een gekartelde rand hebben. De stengels en takken zijn duidelijk roodachtig en hij draagt paarse bloemen die in groepjes bij elkaar staan. Het is een struik die wel twee meter hoog kan worden.

Thee, getrokken van de blaadjes van de Basora kòrá zou helpen tegen bloedarmoede en om het bloed te zuiveren. Gorgelen met een aftreksel van de wortel helpt tegen keelpijn. Vroeger werd dit beschouwd als het beste middel tegen hoge bloeddruk.

Black widow, Balsam

This plant is a very common occurrence along waysides. It has leaves with greyish hairs and milled edges. The stems and branches are always clearly reddish and it carries purple flowers which grow together in small groups. It is a bush which may reach a height of 2 meters.

Tea, made from the leaves of this plant are supposed to help against anemia and to purify the blood. Gargling with an extract of the root soothes a sore throat. Formerly it was considered the best medicine against high blood pressure.

Mangel blanku
Avicennia germinans

E mangel akí ta krese kantu di nos bénewaternan tras di Mangel tan, mas kaminda tin tera. Aparentemente e ta preferá pia un tiki mas seku ku Mangel tan. Sin embargo, e ta lucha ku mes problema. Su rais ta den klei diki, ku hopi bes ta bou di awa, di manera ku e no ta haña sufisiente zürstòf. Mangel blanku ta solushoná e problema akí dor di saka rais aéreo ku ta krese bai laria. Rònt di kada palu bo ta haña un fèlt di e rais aéreonan akí. E tin blachi oblongo, dòf, kolò bèrdè skur. Parti abou nan ta koló shinishi. Su flornan ta chikitu blanku, su fruta ta plat i tin mas o ménos forma di kurason. Su simianan tambe ta sprùit na palu mes, meskos ku esnan di Mangel tan.

Witte mangrove

Deze mangrovesoort vind je langs de rand van de binnenbaaien achter de Rode mangrove. Hij houdt dus iets drogere voeten. Toch zit hij met hetzelfde probleem als de Rode mangrove: omdat zijn wortels in dichte klei zitten en vaak overspoeld worden door water, kunnen deze niet genoeg zuurstof krijgen. De Witte mangrove lost dit probleem op door luchtwortels te maken die vanuit de wortels naar boven groeien en dus boven de grond uitsteken. Rondom elke boom heb je dan ook een veld van deze ademwortels. De bladeren zijn langwerpig, dof en donkergroen. Aan de onderkant zijn ze grijs. Deze mangrove bloeit met witte bloemetjes, de vrucht is plat en vaag hartvormig. Ook hier kiemt het zaad al in de vrucht.

Black mangrove, Olive mangrove

This species of mangrove grows behind the Red mangrove along the edges of the inner bays. Apparently it prefers somewhat drier feet. However, it still struggles with the same problem as the Red mangrove: because its roots grow in very thick clay and are constantly being washed over by seawater, they suffer from a lack of oxygen. The White mangrove finds a solution to this problem by making air roots which grow upward, i.e. they protrude from the clay, looking for fresh air. Every tree is surrounded by a field of these air roots. The leaves are oblong, dull and dark green with grey underneath. This mangrove blooms with white flowers and the pod is flat and somewhat heart shaped. Here, too, the seeds sprout when still growing on the tree.

Flor di sanger
Lantana camara

Un mata ku strèn gròf, firkant. Su blachinan tin forma di webu, tin bes kasi triangular ku rant di skama. Despues di tempu di awa e mata aki ta dòrna nos paisahe ku su flornan na abundansia. Nan ta krese na grupo den forma semiesfériko i nan koló ta varia di oraño hel, kòrá oraño pa kasi kompletamente kòrá. Matanan ku flor hel, blanku o püs no ta pertenesé na e mes sorto akí. E fruta ku ta sali despues ta koló blublèk. Pa grip i kalafriu sa trèk yerba ku e flornan i kònòpinan.

Flor di sanger

Een struik met vierkante, ruw aanvoelende stengels. De bladeren zijn eivormig, soms bijna driehoekig met een gekartelde rand. Na de regens verlevendigt deze plant het landschap. Hij maakt bloemen die in afgeplatte bolle bloeiwijzen staan en de kleuren kunnen variëren van geel-oranje, oranjerood tot bijna rood.

Planten met gele, witte of paarse bloemen behoren tot andere soorten. Omdat de hele struik vol bloemen zit is het een lust voor het oog. De vruchtjes die daarna op de bolletjes verschijnen zijn blauwzwart van kleur. De bloemetjes en de knoppen worden gebruikt in een thee tegen griep en rillingen.

Big sage, Yellow sage

This is a bush with quadrangular, woody stems, rough to the touch. The leaves are egg shaped, sometimes almost triangular with milled edges. After rainfall this plant enlivens the landscape with its flowers. The flowers grow at the end of the stems in small groups together and their colours may vary from yellowish orange, orange red to almost completely red. Plants with yellow, white and mauve flowers belong to other species. Because the bushes flower exuberantly they make a lovely sight along the roads. The fruits are small bluish black berries. The flowers and buds are made into a tea to remedy the 'flu and chills.

Korono di Hesus, Lamunchi shimaron

Balanites aegyptica

Nan ta konta ku un tal Cornelis Gorsira a bishitá Tera Santu den siglo 19 i e ker a trese mas tantu posibel di e matanan ku tin menshoná den beibel Kòrsou. El a bisa ku Korona di Hesus ta e mata ku nan a traha korona di Hesus kuné. En berdat esaki ta un kandidato mas probabel ku Apeldam ku tin sumpiña mashá chikitu. Tòg na latin Apeldam su nòmber ta "*spina christi*", lokual ke men sumpiña di Kristu. Korona di Hesus a plama rònt Kòrsou, pero no tin e na Aruba ni Boneiru. Su blachinan ta oval koló bèrdè skur, tai manera kueru. Su flornan ta chikitu, koló bèrdè hel: nan ta krese na grupo den sker di blachi. Su fruta parse un aseituna, duru i bèrdè. Por kom'é, pero e no ta dushi. Por ekstraé un tipo di zeta for di e fruta.

Korona di Hesus

Het verhaal gaat dat, toen de op Curaçao woonachtige Cornelis Gorsira het Heilige Land bezocht in 1881 of 1882, hij zoveel mogelijk planten mee wilde nemen die in de bijbel voorkomen. Deze Korona di Hesus zou de plant zijn waarvan de doornenkroon gemaakt was die Jezus op het hoofd werd gezet. (Dit is inderdaad een aannemelijker kandidaat dan de Apeldam die slechts kleine stekels heeft. Toch heet deze laatste "*spina-christi*"). De boom heeft zich sindsdien behoorlijk verspreid over het eiland. Hij komt op Aruba en Bonaire echter niet voor. De ovale donkergroene blaadjes voelen dik, bijna leerachtig aan. De boom bloeit met kleine, gelig-groene bloemen, meestal in groepjes in de bladoksels. De vrucht lijkt op een grote olijf, hard en groen. Hij is eetbaar maar absoluut niet lekker. Uit de vrucht kan olie geperst worden.

Desert date, Jericho balsam, Soapberry tree, Thorn tree

The story relates that when the already mentioned Cornelis Gorsira visited the Holy Land in the 19th century, he wanted to take with him as many plants which appeared in the bible as possible. This Desert date would be the plant from which the crown of thorns was made which Jesus was forced to wear. (This is indeed a much likelier candidate than the Christ's thorn which has rather small spines. Yet the latter is called "*spina-christi*"). The tree has spread considerably over the island ever since. However, it does not grow on Bonaire and Aruba. The oval, dark green leaves feel a bit thick to the touch, almost leathery. The tree blooms with small, yellowish green flowers, forming small groups in the axils of the leaves. The fruit resembles a large olive, hard and green and is edible but not very tasteful. From the fruit a type of oil may be extracted.

Wayaká
Guaiacum officinale

Sin duda e palu di mas bunita i gradesidu ku bo por planta den bo kurá. Ademas e no ta un palu importá, e ta outéntiko di nos país. Semper e ta bèrdè. E palu tin un foya yen. Su blachinan ta rondó, koló bèrdè skur lombrá i nan tin struktura di pluma. E stam ta suave i manera manchá, pasobra e ta kaska kontinuamente. Wayaká ta floria abundantemente ku flor blou pa lila den un tròshi chikí forma di paraplü. Ora e kaba di floria e ta saka fruta koló bèrdè hel forma di kurason ku ta masha dekorativo. Ora e frutanan habri bo ta weta e simia kòránan i esaki tambe ta un bunita bista. Pues den tur fase di su siklo di reprodukshon e palu akí ta un hoya den paisahe. E ta produsí un palu duru ku nan ta uza pa traha katròl pa barku. Su palu ta duru debí na su kresementu poko poko loke ta hasi e palu un palu será. Si tira e palu akí na awa e ta senk. E ta kontené hopi leim loke ta hasié adekuá pa traha shaft pa chapaleta di boto. E palu no ta gasta i su leim ta su lubrikante natural.

Pokhout

Dit is toch wel de mooiste en meest dankbare boom die je in de tuin kunt hebben. Bovendien is het een inheemse boom, dus geen import. Hij blijft altijd groen. De bladeren zijn geveerd met ronde, glanzend donkergroene blaadjes die een zeer dichte kroon vormen. De stam is bijzonder glad en gevlekt omdat de boom constant aan het "vervellen" is, d.w.z. het buitenste deel van de schors valt er in dunne plakken af. De boom bloeit uitbundig met paarsblauwe bloemen die in kleine schermen staan. Na de bloei vormt hij geelgroene, hartvormige vruchten die zeer decoratief zijn. Gaan de vruchten open, dan worden de rode zaden zichtbaar en ook dat is mooi om te zien. Dus in alle stadia van de voortplantings-cyclus vormt deze boom een sieraad in het landschap.

De boom levert het bekende pokhout dat zeer hard is. In de scheepvaart worden er vaak katrollen van gemaakt. Die hardheid heeft de boom te danken aan de langzame groei waardoor het hout zeer dicht wordt. Als je dit hout in het water gooit zinkt het! Het hout bevat ook veel hars en hierdoor is het zelfs geschikt voor het maken van schroefaskokers: het hout slijt bijna niet en het is zelfsmerend door de hars.

Lignum vitae

Without a doubt this is the most beautiful and most gratifying tree one can plant in the garden; besides, it is not imported but a native species. It is an evergreen, i.e. it stays green throughout the year. The pinnate leaves carry round, shiny green leaflets which form a very thick crown. The stem is very smooth and spotted because the tree is "peeling" constantly, i.e. the outer layer of the bark sheds in thin slices. The tree blooms exuberantly with violet-blue flowers in small umbels. After the flowering the yellowish green, heart shaped fruits are decorative as well. When they burst the red seeds become visible and that too adds to the ornamental properties of the tree. In other words, this tree graces the landscape in all stages of its lifecycle.

The tree produces wood which is extremely hard and in the shipping industry it is used in the making of pulleys. The hardness of the wood is caused by the slow growth which makes the wood very dense. This wood, when thrown into the water, will sink! The wood also contains a resin which makes it suitable for making shaft-bearing linings in ships. The wood hardly wears away as the resin makes it self-lubricating.

Anglo, Wanglo
Tribulus cistoides

Probablemente esaki ta e mata di mas fèrfelu ku bo por tin den bo kurá. E ta un mata lastradó ku stèngel ku kabei. E blachinan tin struktura di pluma i e ta saka flor hel bunita. Pero despues di esaki, e problema ta kuminsá. E mata ta forma fruta ku simia ku punta skèrpi. Bo trapa riba unu, ta imposibel sigui kana. P'esei su nòmber ingles ta mashá apropiá. Ta mashá probabel ku kabritu ta plama e mata akí rònt, pasobra e simianan ta keda pega den nan pata. P'esei no ta straño ku Anglo gusta krese kantu di kaminda. Parse ku e flornan ta bon kuminda pa galiña. Un ten hende pober tabata roster e simianan pa traha kòfi kuné.

Anglo, Wanglo

Dit is waarschijnlijk het vervelendste plantje dat je in de tuin kunt hebben. Het is een kruid met harige stengels die over de grond kruipen. De blaadjes zijn geveerd en hij bloeit mooi met goudgele bloemetjes. Maar daarna begint het ongemak. De plant vormt vruchtjes met gestekelde zaden. De stekels zijn vreselijk scherp en als je er in trapt kun je echt niet verder lopen. De Engelse naam is dan ook goed gekozen! Waarschijnlijk wordt deze plant ook sterk verspreid door de geiten omdat de zaden in hun hoeven blijven steken. Je ziet de Anglo dan ook veel langs de kant van de weg. De bloemen schijnen trouwens uitstekend kippevoer te zijn. Er is een tijd geweest dat arme mensen koffie dronken, gemaakt van de gedroogde en geroosterde zaden van de Anglo.

False puncture vine, Sandburr, Large yellow caltrop

This is probably the most annoying plant one can encounter in the garden. It is a small ground hugging herb with hairy stems. The leaves are pinnate and it blooms with bright golden yellow flowers. So far so good, but then the trouble starts. The fruits produced by this vine carry very strong, short spines. These spines are extremely sharp and will puncture everything, hence its English name. When you step on them it is impossible to walk any further. Probably this plant has such a wide distribution because the seeds stick to the hooves of the goats. It is striking that the Puncture vine grows abundantly along roadsides where the goats will pass. The flowers seem to offer very good nutrition to poultry. At some time poor people used to drink coffee made from the fried and roasted seeds of this plant.

TERMINOLOGIA BOTANIKO
PLANTKUNDIGE TERMEN
BOTANICAL TERMS

FORMA DI BLACHI / BLADVORM / SHAPE OF LEAVES

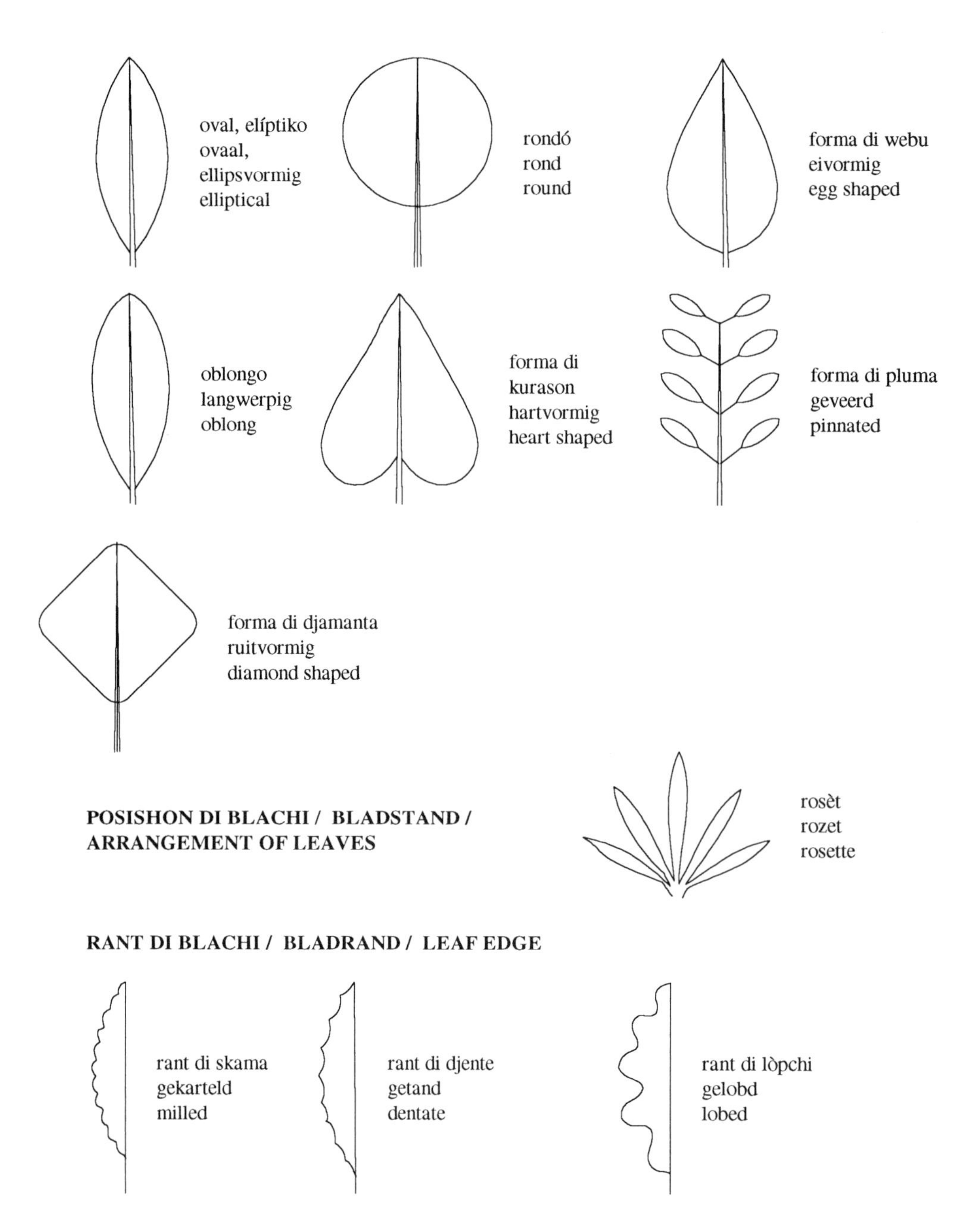

FORMA DI FLOR / BLOEMVORM / SHAPE OF FLOWER

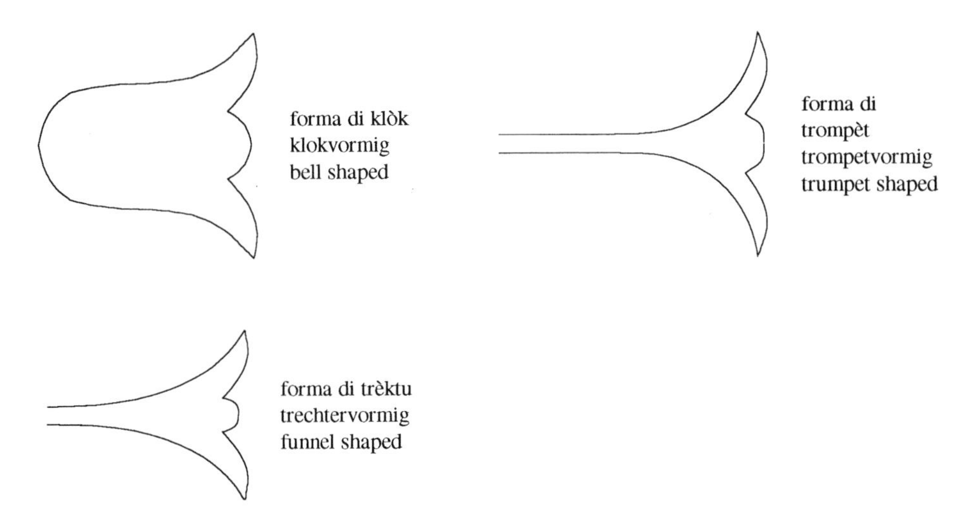

AGRUPASHON DI FLOR / BLOEIWIJZE / ARRANGEMENT OF FLOWERS

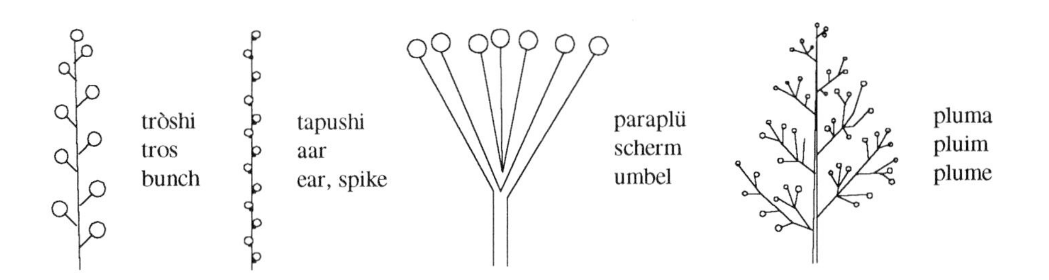

PARTINAN DI FLOR / BLOEMDELEN / PARTS OF THE FLOWER

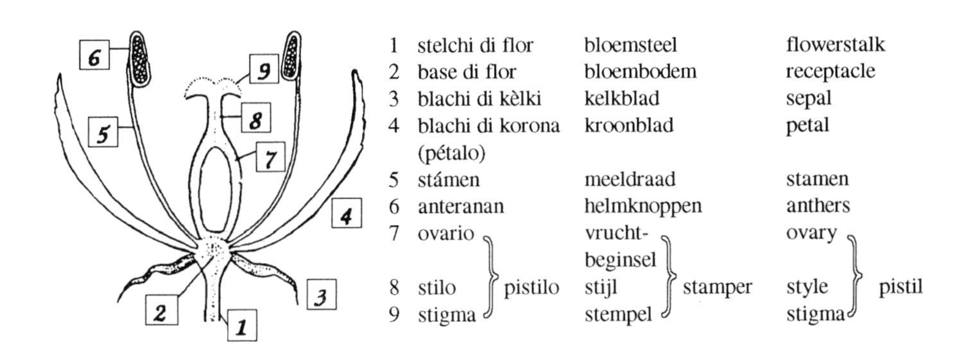

1	stelchi di flor		bloemsteel		flowerstalk	
2	base di flor		bloembodem		receptacle	
3	blachi di kèlki		kelkblad		sepal	
4	blachi di korona (pétalo)		kroonblad		petal	
5	stámen		meeldraad		stamen	
6	anteranan		helmknoppen		anthers	
7	ovario	pistilo	vrucht-beginsel	stamper	ovary	pistil
8	stilo	pistilo	stijl	stamper	style	pistil
9	stigma	pistilo	stempel	stamper	stigma	pistil

Literatura / Literatuur / Literature

Fr. M. Arnoldo	Zakflora, 1964
	Gekweekte en nuttige planten van de Nederlandse Antillen, 1971
D.J. Boerwinkel	Tien planten om de hoek, 1994
P.N. Honeychurch	Caribbean wild plants & their uses, 1986
J.F. Morton	Exotic plants for house and garden, 1971
S.A. Seddon and G.W. Lennox	Trees of the Caribbean, 1980
D. Veeris	Remedi i kustumber di nos bieunan, 1987

Kontenido

Inhoud

(Voor de planten waarvoor geen Nederlandse namen bekend zijn, dient men de Papiamentu of Engelse inhoud te raadplegen)

Contents